POBL FEL NI

I Seth

Pobl Fel Ni

CYNAN LLWYD

CYNGOR LLYFRAU CYMRU

ISBN: 978 1 78461 837 7
Argraffiad cyntaf: 2020

Mae'r prosiect Stori Sydyn/Quick Reads yng Nghymru
yn cael ei gydlynu gan Gyngor Llyfrau Cymru
a'i gefnogi gan Lywodraeth Cymru.

Argraffwyd a chyhoeddwyd gan
Y Lolfa, Talybont, Ceredigion SY24 5HE
gwefan www.ylolfa.com
e-bost ylolfa@ylolfa.com
ffôn 01970 832 304
ffacs 832782

1

Nathan

Mae mis wedi gwibio heibio ers i fi ddechrau breuddwydio am Sadia ar ôl ei gweld ar y bws 9C. Breuddwydiais amdani yn y coleg. Breuddwydiais amdani wrth gerdded adref o'r coleg. Breuddwydiais amdani wrth fwyta fy swper. Breuddwydiais amdani wrth frwsio fy nannedd.

Eistedd wrth y ffenest oeddwn i, yn gwylio'r byd yn llusgo heibio'n araf, diolch i draffig y ddinas. Trwy'r ffenest fyglyd, gwelais berchennog y Grange Fish Bar yn gwgu ar ei gwsmeriaid, betwyr Ladbrooks yn diawlio'r ceffylau a henwyr y mosg mor ddisymud â Chôr y Cewri wrth iddyn nhw roi'r byd yn ei le ar feinciau Stryd Clydach. Ceisio darllen oeddwn i, ond rhwng clegar y ddwy ddynes a eisteddai y tu ôl i mi a chrio'r babi yn y pram ym mlaen y bws, roeddwn i wedi rhoi'r ffidil yn y to ac wedi cau cloriau'r llyfr.

Yna stopiodd y bws. Daeth chwa o awyr iach gyda hisian agor y drysau, ac wrth iddi gamu i mewn i'r bws, camodd Sadia i mewn i fy mywyd i. Hijab piws oedd ganddi y diwrnod hwnnw gyda hwdi Nike llwyd a sgert hir ddu. Nike Zooms gwyn â thic aur oedd am ei thraed. Rhaid cyfaddef i mi edrych arni ddwywaith. Nid 'mod i'n *perv* na dim byd fel'na. Ond allwn i ddim peidio ag edrych arni. Roedd hi'n mynnu sylw. Nid yn yr un ffordd ag y mae pobl sy'n byw eu bywydau ar Instagram yn mynnu sylw, ond mewn ffordd dawel a hunanfeddiannol. Edrychodd hi arna i hefyd wrth dalu am ei thocyn a chyfarfu ein llygaid am amrantiad cyn i'r ddau ohonon ni edrych i ffwrdd mewn chwithdod. Roedd fy nwylo'n chwysu fel y gwnaent adeg arholiadau, neu wrth wylio Lerpwl yn chwarae pêl-droed. Rhyfeddais wrth iddi gerdded yn hollol fwriadol trwy ganol y bws ac eistedd wrth fy ymyl. Tynnodd ei chlustffonau gwyn o'i chlustiau.

"Alla i eistedd fan hyn?" gofynnodd.

"Wrth gwrs."

Symudais fy mag er mwyn gwneud lle iddi. Ceisiais ailafael yn fy llyfr, ond roedd rhywbeth arall yn mynnu fy sylw erbyn hyn. Roedd ei phersawr yn cosi fy nhrwyn. Sylwais ei bod hi'n bodio trwy'r lluniau ar ei ffôn a chefais gipolwg ar lun ohoni hi gyda bachgen, a'r ddau ohonyn nhw yn wên o glust i glust. Ei chariad siŵr o fod, meddyliais yn ddigalon.

"Be ti'n ddarllen?"

Hi ofynnodd y cwestiwn. Hi fentrodd gyntaf. Dangosais y clawr gwyrdd iddi. Arno roedd llun dau gorff, un bachgen ac un ferch, yn gorwedd mewn tun sardîns.

"O, cŵl. Mae'n dda, on'd yw e?"

Rhyfeddais ei bod hi wedi darllen yr un llyfr â fi, ac wrth ryfeddu teimlais yn euog yn syth. Pam na fyddai hi wedi darllen yr un llyfr â fi? Agwedd fy nhad oedd wedi fy nysgu bod pobl sy'n edrych fel Sadia yn wahanol i ni. Byddai Dad byth a beunydd yn taranu am "pobl fel ni" a "pobl fel nhw" a byddai Mam yn eistedd wrth ei ymyl yn nodio'i phen yn ufudd. Doedd Mam ddim wastad fel yna. Dwi'n ei chofio hi'n ddynes dal a hyderus, ei gwên yn ennyn edmygedd ein cymdogion. Ei chwerthin yn adleisio i lawr y stryd, yn bownsio o un tŷ teras i'r llall. Cofio. Dyna sut oedd hi. Cyn i Dad droi'n fwystfil.

"Odi, mae'n wych!" atebais o'r diwedd.

Daeth y sgwrs i ben. Mwy o chwithdod. Bodiau'n chwarae. Dwylo'n chwysu. Yn amlwg roedd disgwyl i fi gynnal sgwrs. Roeddwn i moyn dweud rhywbeth wrthi ond dydw i'n dda i ddim am fân siarad. Edrychais o'm cwmpas am ysbrydoliaeth. Nid bysys yw'r llefydd mwyaf ysbrydoledig yn y byd – posteri iechyd a diogelwch, seddi anghyfforddus, gwm cnoi fel glud ar y llawr...

"Ar beth wyt ti'n gwrando?" gofynnais o'r diwedd.

"Tiffany O. Mae'n chwarae yn y parc mis nesaf."

Edrychais arni â golwg ddwl ar fy wyneb.

"Dwyt ti ddim yn ffan?" gofynnodd Sadia, gan estyn am un o'i chlustffonau a'i roi i mi. "Rho fe yn dy glust, a 'na i ddefnyddio'r llall. Gwranda ar hwn!" Ufuddheais iddi.

"Sadia," dywedodd hi.

"Helô, Sadia. Nathan."

Ugain munud yn ddiweddarach camodd y ddau ohonon ni oddi ar y bws gyda'n gilydd. Troais i i gyfeiriad llyfrgell y dref ac aeth hithau i'r ganolfan siopa. Ond roedden ni wedi trefnu i gwrdd yr wythnos ganlynol. Ffarweliais â hi, a'i rhif yn fy ffôn a'i gwên yn llenwi fy myd.

2

Sadia

ANTI HALIA YW MICHELANGELO y byd peintio ewinedd. Mae'n cymryd gofal eithafol dros ei gwaith fel y credech chi ei bod hi'n peintio nenfwd y Capel Sistinaidd yn y Fatican. Nid 'mod i wedi bod yno, ond rydych chi'n gallu cael *360 tour* ar y wefan. Mae'n reit cŵl, ond bach dros ben llestri. Bach yn *showy* os ydych chi'n gofyn i fi. Merch crys-T a jîns ydw i. Dyngarîs os dwi'n teimlo'n ciwt. Wnewch chi ddim fy ngweld i mewn ffrog ddrud yn cario bag Gucci. Ond ie, Anti Halia yw peintwraig ewinedd orau'r dre – a'r tsiepa.

"£8 yn unig!"

Mae'n fy atgoffa bob tro dwi'n dod i'w siop. Ac am £8 fe gewch chi benawdau newyddion Trelluest yn fonws, heb i chi ofyn. Bargen! Mae salons crand y ddinas ar y llaw arall yn costio £35, a dim ond wynebau swrth a job ffwrdd â hi gewch chi am y pris. Ond dydy pobl sy'n gwario £35 ar eu hewinedd ddim yn mynd i ddod fan hyn i gael siâp a lliw. Maen nhw'n talu £35 fel nad oes rhaid iddyn nhw ddod fan hyn. A does fawr o ots gen i am hynny a dweud y gwir, oherwydd mae Divine, teyrnas Anti Halia, yn hafan glyd yng nghanol dinas galed ac oer. Pan dwi'n arogli gwynt siarp y paent ewinedd, sy'n gwneud i mi feddwl am finegr siop sglods, ac yn clywed hymian undonog y sychwr gwallt, a phan flasaf goffi sydyn chwerw'r siop neu gnoi un o fisgedi stêl y tun sydd y tu ôl i'r cownter, teimlaf yn ddiogel. Dyna wyrth y synhwyrau i mi. Nid dim ond eich bod chi'n gallu mwynhau blas rhywbeth, ond bod y blas hwnnw'n creu mil o deimladau ac yn ddrws i fil o atgofion a meddyliau.

Dwi hefyd yn hoff o ddychmygu bod siop Anti Halia yn set sioe drafod ar y teledu, fel *Loose Women*. Y sêr wrth gwrs yw Mam ac Anti Halia. Maen nhw'n siarad fel dwy ddafad yn brefu'n ddi-stop. Byddai Oprah yn cael trafferth cadw i fyny â'r ddwy yma. Gall Mam siarad, ond mae Anti Halia fel melin bupur ac weithiau dwi'n teimlo bod angen cyfieithydd arna i er mwyn dilyn y sgwrs.

"A be ti'n feddwl o gar newydd Aisha?" Mam ofynnodd y cwestiwn.

"Car? Mae tanc yn air mwy addas!" atebodd Anti Halia gan dynnu wyneb oedd yn ategu'i sylw – doedd Anti Halia ddim yn hoff o gar newydd Aisha.

"Pwy sydd angen car mor fawr â hynny yn y ddinas? Siŵr bod ei chymdogion yn gandryll! Mae'n cymryd lle tri char o leiaf!"

"O leiaf," ailadroddodd Anti Halia fel arwydd o gytundeb. "A glywest ti fod Leena yn mynd â'r teulu i gyd i Disneyland? Y teulu I GYD!"

"Do. *Credit card* y gŵr, dim dowt... a bydd e'n aros adre, fi'n siŵr... os ti'n dilyn..."

Cododd Mam ei haeliau fel arwydd ei bod hi'n deall awgrym Anti Halia.

Yna, distawrwydd am ychydig wrth i Anti Halia ymestyn am botel o baent pinc o'r silff – ffefryn Mam.

"A be ti'n meddwl o'r llythyr sydd 'di dod trwy'r drws, 'te?" Anti Halia ofynnodd y cwestiwn. Roedd rhaid i rywun. Roedd rhaid trafod y llythyron. Wythnos ynghynt, pan oedd pawb yn swatio o flaen y teledu, yn ymlacio ar ôl diwrnod prysur, gwthiwyd taflen trwy bob un drws yn Nhrelluest.

CYMRYD NÔL EIN TREF
Ydych chi wedi blino ar
gormod o imigrynts yn ein tredd?
I chi wedi blino ar gweld
fforinyrs yn dwyn ich swydd?
MAE'N AMSER CICIO NÔL!
EIN TREF! EIN GWLAD!

Ac yna'r ysgrifen fach ar waelod y daflen...

Trefnwyd gan M.A.M.
Talwyd gan Tommy Morris. #freetommymorris

Yr unig beth chwerthinllyd am y daflen oedd y camsillafu amlwg. Roedd popeth arall amdani yn codi cyfog, ac yn codi ofn.

"Ie, wel," atebodd Mam, "mae awyrgylch y lle yma 'di newid ers i'r ffactri gau, yn do? Pobl moyn dod o hyd i rywbeth i fod yn fag pwnio... a ni yw'r bag pwnio hwnnw... am ryw reswm."

Roedd gwefus Mam yn crynu. Edrychai'n fregus heddiw â chylchoedd tywyll o amgylch ei llygaid. Sylwais fod Anti Halia wedi gwneud smonach o'r peintio. Doedd pethau ddim yn iawn.

"Wel!" dywedodd Anti Halia ychydig yn rhy egnïol. "Dyna ddigon o newyddion drwg!"

Trodd tuag ata i, a theimlais fy hun yn cochi a sylw'r byd arna i. Roeddwn i'n gwybod beth oedd yn dod, ac oherwydd y nodyn yn fy ffôn gan Nathan yn gofyn a oeddwn i am fynd am goffi gydag e ddydd Sadwrn, teimlais fy hun yn cochi. Gofynnai Anti Halia'r un hen gwestiwn bob tro. Lledodd gwên fawr ar draws wyneb Anti Halia, a rhoddodd bwniad bychan i fraich Mam.

"Sadia! Wyt ti wedi dod o hyd i ŵr eto?!"

WTF! Dwi ddim ond yn 17 mlwydd oed.

*

Roedd yr wythnos rhwng cyfarfod Nathan ar y bws a'i weld eto'r Sadwrn canlynol ganwaith gwaeth nag eistedd dan oleuadau'r deintydd a thynnu dant. Artaith lwyr. Roedd pob diwrnod mor araf â phrynhawn o ddilyn Mam-gu o gwmpas Tesco. Ond yn y pen draw daeth dydd Sadwrn, a dyna ble roedd y ddau ohonon ni, yn eistedd gyferbyn â'n gilydd yn Hard Lines yn sipian Flat Whites, a jam coch y donyts yn diferu i lawr ein genau yn gwneud i ni edrych fel Dracula. A fi'n boddi yn ei lygaid tywyll.

"Ma raid bod Stoker yn foi od i ddyfeisio cymeriad fel Dracula," dywedodd Nathan.

Sgwrs ryfedd ar ddêt cyntaf, ond dyna ni. Dwi'n hoffi'r ffaith ei fod e bach yn *quirky*. Ai dêt oedd hwn? Gobeithio. Roedden ni wedi sylweddoli'n barod ein bod yn rhannu dau hoffter angerddol: coffi a llyfrau.

"Person go iawn oedd Dracula!" atebais. Syllodd Nathan arna i'n gegagored. Ei lygaid brown. Lysh. "Go iawn! Vlad the Impaler. Rhyw fath o frenin creulon iawn o'r Oesoedd Canol."

"O..."

A dyna ble arhoson ni am oriau yn trafod os taw donyts jam neu gwstard sydd orau, p'run ai DC Comics neu Marvel oedd â'r archarwyr gorau ac ydy hi'n dderbyniol i unrhyw un fwynhau *Love Island*. Cytunwyd mai'r ateb oedd "na", a dyna un rheswm, ymhlith nifer, y cytunais i gyfarfod â Nathan eto'r wythnos ganlynol.

Y tro hwn Lufkin oedd y caffi. Roedd Nathan yn teimlo'n euog am ddod i Lufkin. Mae'n gweithio shiffts yn Café Pashar, sydd gyferbyn â Lufkin. Mae coffi yn Pashar yn costio £1. Yn Lufkin mae'n £3. Mae Pashar yn gweini cacenni siocled stêl. Mae Lufkin yn gweini pei afalau ffres a hufen iâ. Bob bore Sadwrn mae Pashar yn darparu platiau llawn o frecwast seimllyd i gefnogwyr yr Adar Gleision, a Lufkin yn troi'n stiwdio ioga cyn agor fel caffi. Cwsmeriaid Pashar yw adeiladwyr a phensiynwyr. Mae Lufkin dan ei sang â hipsters â'u MacBooks a *man buns*.

Os oedd coffi Flat White Hard Lines yn felfedaidd, roedd Long Black Lufkin yn ddeinameit i'ch synhwyrau gan eich codi fry i gopaon mynyddoedd Colombia. Gwisgai Nathan ei wisg arferol. Jîns, treinyrs New Balance a chrys siec. Bach yn *geeky*, ond mae'n ciwt. Daeth â llyfr gydag e.

"Mae'n nofel sy'n rhyw fath o gyfres o lythyron mae'r awdur yn sgwennu at ei dad. Mae ei dad yn foi *horrible*, yn dreisgar ac yn rili hiliol. 'Nes i fwynhau e. O'n i'n meddwl byset ti'n hoffi fe hefyd."

Os oedd am gipio fy nghalon, roedd rhoi llyfr yn anrheg yn *shortcut* i wireddu hynny.

"Diolch, Nathan. Mae'n swnio fel *laugh a minute*. O, sôn am hynny..." a nodiais fy mhen i gyfeiriad y fynedfa.

Camodd Kai Mullet a'i *cronies* i mewn i'r caffi yn eu harfwisgoedd neilon. Kai yw idiot mwyaf Trelluest. Yn syth bìn teimlais awyrgylch y lle yn newid – o flasu ffrwythau'r Long Black i flasu chwys a chasineb y newydd-ddyfodiaid. Edrychodd Nathan arna i'n nerfus. Roedd golwg fregus arno. Diniwed. Roeddwn i'n synhwyro nad oedd e wedi bod yn yr un ffeit o'r blaen a'i fod yn casáu sefyllfaoedd treisgar. Mae digon o'r rheiny'n codi yn Nhrelluest, siŵr iawn, ond os ydych chi'n glyfar, fel Nathan, fe allwch chi gadw allan ohonyn nhw.

Dwi ddim yn hoffi sefyllfaoedd lle mae trais yn bosibl chwaith, ond dwi'n barod i sefyll i fyny drosof fi fy hun. Edrychais draw ar Kai, ei ffrindiau a'r ferch wrth y cownter. Roedd y bechgyn yn chwerthin yn hyll fel *hyenas*. Roedd y ferch yn crio. Y tristwch oedd mai dyna beth oeddwn i'n disgwyl ei weld. Teimlais ryw wefr yn mynd trwydda i, a sefais ar fy nhraed, ond gafaelodd Nathan yn fy mraich.

"Sadia! Be ti'n neud?"

"Be ti'n feddwl?"

"Kai Mullet yw e!"

"A?"

Doedd gan Nathan ddim ateb. Yn wir, edrychodd arna i fel mae Lois Lane yn edrych ar Superman cyn i'r arwr fynd i achub y byd. Cerddais at y cownter. Roedd y bechgyn yn sefyll â'u cefnau ata i. Roeddwn i'n gallu clywed Kai yn siarad â'r ferch. Wel, yn poenydio'r ferch.

"Go on. Rho dy rif i fi. Bet bod ti 'rioed 'di bod ar *date*, na? Ddim gyda hwnna ar dy wyneb! *Freak*!"

Sylwais fod y ferch yn cuddio'i boch â'i llaw a thu ôl i'w llaw roedd ei boch yn greithiog.

"Pam yn y byd byse hi moyn rhif rhywun mor pathetig â ti?" dywedais.

Trodd y bechgyn yn araf i'm hwynebu. Roedd llygaid Kai yn goch, a chwys yn cronni ar ei dalcen. Sgleiniai ei groen yn las. Roedd e'n amlwg wedi bod yn snwffian rhyw wenwyn trwy'r prynhawn.

"Be wedest ti?" poerodd Kai.

Teimlais Nathan yn sefyll y tu ôl i mi. Ei law yn pwyso ar fy ysgwydd.

"Glywest ti hi'n iawn," dywedodd.

Roedd yn ceisio ymddangos yn awdurdodol, ond roedd y cryndod yn ei lais yn ei fradychu.

Gwelais Kai yn cau ei ddwrn, ond cyn iddo gamu ymlaen tuag ata i, daeth llais dwfn o ochr arall y caffi.

"Hei! Paid ti â meiddio, boi!"

Johnny Boxer. Arwr. Cyn-focsiwr Olympaidd. 70 mlwydd oed, ond ei gefn yn syth a'i gyhyrau'n dal i gael *workout* dyddiol yn Jim's Gym. Mae'r creithiau ar ei wyneb yn ddigon i wneud i fechgyn bach fel Kai wlychu eu trowsus. Camodd Johnny Boxer yn araf ac yn osgeiddig tuag aton ni, fel petai'n greadur chwedlonol, yn hanner derwen a hanner dyn. Safai'n dal, yn chwe throedfedd pum modfedd, a Kai Mullet fel pwdl â'i gynffon rhwng ei goesau. Taflai Johnny Boxer gysgod dros y bechgyn.

"Cer o 'ma, ti a dy ffrindie."

Wel, doedd Kai ddim yn mynd i anufuddhau i Johnny Boxer a'i ddwylo cawraidd, nag oedd? Ond mynnodd gael y gair olaf. Wrth iddo gamu allan o'r caffi, yn teimlo'n saff ei fod y tu hwnt i gyrraedd Johnny Boxer a finnau, dyma fe'n gweiddi nerth ei ben, fel bod pawb yn y caffi a'r stryd yn cael clywed,

"Free Tommy Morris!"

"Ein Gwlad! Ein Tref!"

Ac wrth edrych tuag at Nathan, y gair bach brwnt,

"Bradwr... 'Na i'n siŵr fod dy dad yn ffindo mas amdanoch chi. *Race traitor*!"

Wrth i ni gerdded adref law yn llaw, roedd wyneb Nathan yn welw yng ngolau gwan y lampau stryd, fel petai Dracula wedi sugno'i holl waed ohono.

"Be sy?" gofynnais.

"Wel, be wedodd Kai. Am Dad..."

"Sdim angen i ti esbonio. Dim ti yw dy dad, nage?"

"Na. Ond, mae'n eitha doniol i ddweud y gwir."

"Doniol? Sut?!"

"Mae'r ddau yn aelodau o M.A.M. Ti 'di clywed amdanyn nhw?"

"Do. Rywle. Rywsut."

"Men Against Migrants."

"Swnio'n lyfli."

"Ha! Wel, dydyn nhw ddim yn lyfli."

"Felly be sy'n ddoniol?!"

Gafaelais yn dynnach yn llaw Nathan a gosod fy mhen ar ei ysgwydd wrth i ni gerdded ar hyd Clare Road a heibio'r garej sy'n golchi ceir. Edrychodd rhai o'r dynion yn chwith arnon ni. Fi a Nathan. Law yn llaw. Golygfa od y dyddiau yma.

"M.A.M.! Grŵp sy'n llawn dynion blin a thwp sy'n cyfarfod yn ystafelloedd cefn tafarndai dan luniau o'r teulu brenhinol i drafod pwy sy'n dwyn eu swyddi, a sut mae cywirdeb gwleidyddol wedi mynd dros ben llestri a does neb yn gallu dweud dim nawr heb gael eu galw'n hiliol. Criw o ddynion sydd mor *macho* ma nhw'n credu bod James Bond hyd yn oed yn rhy ferchetaidd... yn galw eu hunain yn M.A.M.!"

Chwarddais oherwydd roedd Nathan yn chwerthin. Weithiau dwi'n meddwl bod

Nathan yn ei fyd bach ei hunan a dwi'n teimlo fy hun yn llithro i mewn i'r byd hwnnw. Mae'n glyd yno.

"Mae pobl yn gallu newid pobl eraill," dywedaf wrth gerdded heibio drws garej sydd wedi'i addurno â swastica. "Gobeithio y gallwn ni, gyda'n gilydd, newid yr hen le 'ma."

3

Nathan

ERBYN NOS FERCHER ROEDDWN i a Sadia ar bigau'r drain eisiau cyfarfod eto. Dwi wedi clywed y term *love sick* yn cael ei ddefnyddio mewn ffilmiau, ond doeddwn i ddim yn credu ei fod e'n gyflwr meddygol go iawn. Pan dwi ddim yng nghwmni Sadia, pan dwi ddim yn gwrando arni'n trin a thrafod y byd a'i bethau, a phan dwi ddim yn gallu ymgolli yn ei hwyneb perffaith, mae fy mol yn brifo a dwi ddim yn cysgu cystal ag yr oeddwn i. Mae bod gyda hi fel troi cefn ar fywyd normal. A dwi'n hapus iawn i wneud hynny. Cau y drws yn glep ar y byd tu allan a byw am byth yn ein byd bach ni.

Arhosais amdani yng nghornel pella Kaspas. O fy amgylch roedd plant yn dringo ar y cadeiriau lledr. Gwelais fam-gus yn ceisio gwneud synnwyr o'r fwydlen a mamau'n fflwstwr wrth geisio gwneud lle i'w bagiau siopa ar y cadeiriau cul. Yna gwelais Sadia'n cerdded ata i, gyda'i golwg nodweddiadol – y cylchoedd mawr aur yn ei chlustiau a'r styden yn ei thrwyn bach smwt; y dyngarîs llac sydd wedi'u rholio i fyny er mwyn datgelu sanau streipiog coch a gwyn; ei Vans Old Skool du, sy'n rhacs. A'i hijab sy'n newid lliw o ddydd i ddydd. Pinc heddiw. Mae ei gweld fel cael *power shower*. Mae'n fy neffro. Yn cyffroi fy synhwyrau. Yn gwneud i mi deimlo'n dda. Edrychai mor flasus â'r Sundae oedd ar y sgrin fawr y tu ôl i'r cownter, os nad yn fwy blasus. Ac mae hynny'n dweud rhywbeth.

"Hei!" dywedais. Fy llais octef yn uwch na'r arfer oherwydd y cyffro o gael gweld Sadia eto.

"Haia!"

"Starfio! Be ti ffansi?"

"Wedi archebu crempogau os yw hynny'n iawn?"

"Be bynnag ti moyn."

Dwi'n hapus os yw Sadia'n hapus. Daeth i eistedd wrth fy ochr a rhoi ei braich o amgylch fy un i. Dwi'n hoffi pan mae Sadia yn fy nghyffwrdd. Mae'n fy llenwi â llawenydd, a hyder. Dwi'n gobeithio fod pobl yn sylwi ac yn edrych arnon ni.

"Nathan, ti ffansi mynd i weld Tiffany O nos Sadwrn nesaf?"

Wrth gwrs! Roedd pawb yn mynd. Digwyddiad y flwyddyn. Ond byddai mynd yno yn golygu y byddai Sadia yn fy ngweld yn dawnsio... a gallai hynny olygu diwedd ar ein perthynas. Fyddai hi ddim eisiau bod yn agos ata i gyda fy nghoesau a'm breichiau yn symud i bob cyfeiriad ac allan o rythm fel wncwl meddw mewn priodas. Byddai'n rhaid i mi wneud fy ngorau glas i ymddwyn yn cŵl. Nodio fy mhen i rythm y gerddoriaeth yn unig, efallai. Ac fel petai Sadia wedi darllen fy meddwl, meddai:

"Paid poeni. Dwi'n dawnsio fel buwch yn sglefrio ar iâ!"

"Ocê, cŵl."

"Lysh."

"Lysh."

Ar hynny daeth bachgen mewn crys polo pinc a du aton ni gyda llond platiaid o grempogau a hufen iâ fanila. Estynnais am fforc.

"Hold on, Nathan! Be ti'n neud?!"

"Be ti'n feddwl?!"

"Fforc?! Ti o ddifri? Os ydy'n perthynas ni'n dau am weithio, ti angen dysgu sut i fwyta bwyd yn iawn! Ti 'rioed wedi clywed am roti? Na, wrth gwrs. Ond mae roti ychydig bach fel crempog, a chi'n ei fwyta gyda reis a llysiau ac yn ei ddefnyddio fel llwy... fel hyn!"

Roliodd Sadia un o'r crempogau yn ei llaw a cheisio codi'r hufen iâ, oedd yn prysur doddi yng ngwres y bwyty. Copïais i hi, a dyna lle'r oedden ni yn dal crempogau yn ein dwylo, hufen iâ yn rhedeg i lawr ein breichiau, a blas fanila ar ein chwerthin a'n cusanau.

4

Sadia

NID BACHGEN FEL NATHAN yw fy nheip i. Fel arfer byddai'n well gen i un o sêr y Grange Albions neu un o *headliners* Clwb Ifor. Dwi wastad wedi dychmygu fy hunan yn cerdded law yn llaw ag un ohonyn nhw, yn strytio i lawr yr hewl â braich gyhyrog ar fy ysgwydd a merched cŵl y chweched dosbarth yn ffromi arna i. Byddai fy nghariad perffaith i'n gwisgo Nike o'i gorun i'w sawdl, neu byddai'n datŵs i gyd ac oglau sigaréts yn ei ddilyn fel cwmwl i bob man. Dwi'n hoffi bod ychydig yn wahanol. Yn hoffi'r ffaith bod fy hen fodrybedd yn twt-twtian ar fy nillad, fy agwedd, fy niddordebau.

Ond wedyn daeth Nathan. Ei ddiddordeb mewn llyfrau. Ei gnoi ewinedd... ei dad hiliol. Ond ers ein trip i gaffis y ddinas, ac yn dilyn ei ymgais i fwyta crempog a hufen iâ fel rydyn ni'n bwyta roti a reis, roeddwn i'n gwybod fy mod i am fynd i'r gyngerdd gydag e.

Roedd Mam yn honni ei bod hi'n gwybod yn iawn fod rhywbeth wedi digwydd i fi, am ei bod wedi sylwi ar ryw newid bach yndda i a dim ond bachgen allai fod wedi achosi hynny. Mae pob mam yn adnabod ei merch yn well nag mae'r ferch honno'n adnabod ei hunan, meddai hi.

Tybed? Ond o leiaf roedd hi wedi ymateb yn bositif. Pan glywodd hi fod Nathan a finnau'n mynd i'r gyngerdd gyda'n gilydd, aeth hi dros ben llestri gyda'i brwdfrydedd. Ond *no way* oeddwn i'n mynd i adael i Mam fy helpu i ddewis fy ngwisg. Fy nillad i, fy mhenderfyniad i. Pan es i lawr i'r ystafell fyw cyn gadael y tŷ, neidiodd Mam oddi ar y soffa a chyhoeddi,

"Sadia! Ti'n edrych yn biwtiffwl. Fel tywysoges!"

Nawr, falle bod pob mam yn adnabod ei merch fel cledr ei llaw, ond dwi hefyd yn adnabod fy mam. Mae Mam yn gallu bod yn hollol OTT – Over The Top! A phan mae hi'n hollol OTT, dyna pryd dwi'n gwybod ei bod hi'n rhaffu celwyddau. Os yw geiriau Mam yn dweud 'mod i'n edrych fel tywysoges, mae ei hwyneb yn datgan 'mod i'n edrych fel trempyn ac y dylwn ailystyried fy newis o wisg. Yr edrychiad i fyny ac i lawr yna. Aeliau'n codi. Trwyn yn crychu. Mae trafod dillad wedi achosi rhyfel cartref rhwng Mam a fi cyn hyn. Mae ei syniad hi o beth sy'n ffasiynol ac yn addas yn hollol wahanol i fy syniad i. Iddi hi, dillad peintio waliau yw Vans Old Skools a dyngarîs dros hen grys-T, ond i fi dyma'r owtffit perffaith i fynychu gìg ganol haf yn y parc.

Gytunwn ni fyth ar ddillad. Ond cyn iddi ymwroli a chynnig gwelliannau, mae Dad yn mentro agor ei geg i ddatgan un o'i berlau.

"Tipyn o sioe!"

Dad-ism os buodd un erioed.

*

Dwi'n cofio Miss Howells Add Gref yn esbonio Yin a Yang i ni yn y dosbarth TGAU. Nid grymoedd gwahanol mewn rhyfel â'i gilydd yw Yin a Yang, ond grymoedd cyferbyniol yn gweithio mewn harmoni pur. Dyna Mam a Dad. Mae Mam fel yr haul, yn belen o egni, gyda'r gemwaith yn ei breichledi a'i modrwyon yn fflachio wrth iddi brysuro o gwmpas y tŷ. Ei chwerthin hi sy'n dod â'n cartref ni'n fyw. Ond dyn y cysgodion yw Dad. Mae'n fyr, yn denau ac yn hoff o guddio'n dawel y tu ôl i'w farf lwyd. Mae ganddo ei hoff gadair yn y lolfa, a dyna lle mae'n myfyrio fel rhyw Yoda. Dyn prin ei eiriau, ond pan fydd ganddo rywbeth i'w ddweud, bydd pawb yn talu sylw oherwydd mae'n llyfrgell ar ddwy goes.

Er gwaetha'r gwahaniaethau rhyngddyn nhw, maen nhw'n bâr perffaith. Pan fydd Mam yn parablu am gost saris siop newydd Paget Street (rhy ddrud), neu gyda phwy mae ail gefnder merch y ddynes drws nesaf wedi cael ei weld yn Cineworld (athrawes ei fab), mae Dad yn ddigon call i wenu a chodi ei ben o'i lyfr nawr ac yn y man. Diolch byth nad yw e hefyd yn uchel ei gloch neu byddai'n rhaid i fi brynu set o *earplugs*. Yn yr un ffordd ag y mae arogl coginio Mam, y cwmin a'r *harissa*, yn gwneud i mi deimlo'n saff, daw murmur gweddi foreol Dad â sicrwydd i fy mywyd.

*

"Bydd rhaid i ti hastu, Sadia!"

Dyna hoff frawddeg Mam. Iddi hi mae cyrraedd unrhyw le chwarter awr yn gynnar cystal â bod yn hwyr.

"*Chill*, Mam, mae hen ddigon o amser."

"O, oes, ti'n iawn. Gawn ni baned cyn i ti fynd, ife? I setlo'r nerfau..."

Setlo'r nerfau? Pam ddywedodd hi hynny? Dwi ddim yn nerfus, ond mae'n amlwg ei bod hi ar bigau'r drain. Ydy hi'n nerfus 'mod i wedi cwrdd â rhywun? Na, dwi ddim yn meddwl mai bodolaeth Nathan sy'n ei gwneud yn nerfus, ond mae rhywbeth yn ei phoeni. Dydy hi ddim wedi bod yn iawn ers sbel, fel petai wedi colli rhywfaint o hyder ac asbri. Sylwais ar yr ofn yn ei llygaid wythnos diwethaf pan gerddon ni heibio criw o fechgyn ar y ffordd i Tesco. Fwy nag unwaith dwi wedi gweld golwg bryderus arni wrth wylio'r newyddion ar y teledu, ac mae'n nerfus wrth agor y post bob bore.

Mae Mam yn dychwelyd o'r gegin ymhen rhai munudau gyda phaned yr un i ni. Roedd Dad wedi ymgolli ym myd ei lyfr a finnau wedi bod yn bodio trwy Twitter. Roedd #TiffanyO yn trendio, wrth gwrs. A

#FreeTommyMorris. Mae Nathan hefyd wedi anfon neges destun ata i.

```
Methu aros i weld ti.
Sori o flaen llaw am y dawnsio.
Xx
```

*

Gwenaf wrth ddychmygu'r olygfa.

"'Co ti," meddai Mam wrth estyn cwpan i fi a dod i eistedd wrth fy ymyl. Mae'n rhoi'r baned i lawr ar y bwrdd ac yn cydio yn fy llaw.

"Caru ti, blodyn," meddai.

Gwelaf ddagrau'n cronni yn ei llygaid.

"Beth sy'n bod, Mam?" gofynnaf, gan syllu arni mewn penbleth. Mae edrych arni hi fel edrych mewn drych. Mae ganddon ni'r un llygaid brown. Llygaid melfed, meddai Nathan.

"O, dim byd! Fi sy'n dwpsen."

Mae Mam yn ateb yn frysiog, ond mae'r deigryn sy'n rhedeg i lawr ei boch yn ei bradychu. Y gwir yw bod pethau wedi bod yn mynd o ddrwg i waeth yn ddiweddar.

Tra 'mod i'n brysur yn cwympo mewn cariad, dwi wedi gallu gwthio'n problemau ni i'r naill ochr. Ond roeddwn i'n gwybod bod rhai o'n dynion ni wedi gorfod golchi arwydd swastica oddi ar wal y mosg wythnos diwethaf. Roedd yr ymdrech i ryddhau Tommy Morris o'r carchar yn bryder hefyd. Dyn a roddodd ddau grwtyn hanner ei oedran yn yr ysbyty oherwydd lliw eu croen. Ceisiaf ei chysuro:

"Mae Anti Halia yn dod draw prynhawn 'ma, on'd yw hi? Fe gewch chi'ch dwy roi'r byd yn ei le!"

Ar hynny mae Dad yn codi ei ben o'i lyfr.

"Beth?!"

"Mae Halia'n dod draw ac yn aros i swper heno. Roeddet ti'n gwybod hynny, Aamir!"

"O, mam fach! Duw a'm gwaredo! Cer, Sadia, cyn i'r ddynes wirion 'na gyrraedd! Ffo am dy fywyd!"

Un da yw Dad am dorri tensiwn ac am wneud i bawb chwerthin.

Llyncaf fy nhe a ffarwelio â'm rhieni cyn dechrau ar fy ffordd tuag at ganol y dref â'm calon yn dechrau carlamu. Bydd heno'n noson i'w chofio.

Ond wrth nesáu at waelod y stryd dwi'n gweld bod Haamid yno. Mae e'n sefyll, yn pwyso yn erbyn ffenest y siop gornel. Mae e wastad yna, yn aros amdana i. Mae ganddo lygaid oer, a dwi'n gwybod bod y llygaid hynny'n awchu amdana i. Poera ar y llawr cyn camu o fy mlaen a fy ngorfodi i stopio. Mae ei wyneb yn blorod ac yn flewiach a dyw'r Lynx ddim yn cuddio drewdod ei chwys. Mae popeth am y boi yn codi cyfog arna i. Mae'n amlwg bod ganddo ddiddordeb mawr yndda i ond dyw hynny ddim yn codi ofn arna i.

"Ble ti'n mynd?" hola yn ei lais dwfn. Gallwn i fod wedi dweud, "Dim o dy fusnes di," ond dwi ddim yn dwp a dwi ddim eisiau trwbwl. Dim heno beth bynnag.

"I'r gyngerdd yn y parc."

"Gyda phwy?"

"Dim o dy fusnes di."

"Nathan Davies." Mae Trelluest yn lle rhy fach. Pawb yn gwybod busnes pawb.

"Watsia di. Ddylse pobl fel ni ddim cymysgu 'da pobl fel nhw... A ti'n mynd wedi gwisgo fel'na?" Mae ei lygaid oer yn astudio pob modfedd o 'nghorff. Teimlaf ei fod yn fy nadwisgo a dwi'n crynu, er ei bod hi'n noson gynnes. Yna poera eto, ar ben fy Vans Old Skool.

"Slwten."

Syllaf arno'n fud. Slwten? Dwi'n troi'r gair o amgylch yn fy mhen. Gair hyll. Gair sy'n gadael blas cas. Gobeithio tagith e ar y gair! Gwenaf fy ngwên hyfrytaf, fwyaf diniwed – a hollol ffug – ar Haamid.

"Rhaid i fi fynd, Haamid, mae Nathan yn aros amdana i."

Camaf heibio iddo gan adael iddo arogli fy mhersawr. Dyna'r cyfan mae'n ei haeddu.

Bastard.

5

Nathan

MAE'N AMHOSIBL PEIDIO SYLWI ar Sadia. Yng nghanol y dorf o fechgyn mewn crysau pêl-droed o'r 1990au a'r merched mewn topiau crop sgimpi, mae Sadia'n serennu. Ei llygaid tywyll. Ei gwên. Hijab piws heddiw. Ceisiaf ddal ei sylw wrth weiddi, ond ni all fy llais gystadlu gyda sŵn y band. Ond yn sydyn mae'n fy nal i'n syllu arni a theimlaf gerrynt o drydan rhyngon ni. Teimlaf yn gynnes braf ac am eiliad dim ond ni'n dau sy'n bodoli. Yn ein byd bach ni mae pob lliw yn llachar a phob nodyn o'r bas i'w deimlo'n ddwfn ym mêr ein hesgyrn. Does neb arall yn cyfri. Symuda Sadia tuag ata i. Gwasga'i hun trwy'r dorf chwyslyd nes bod ein hwynebau ar fin cyffwrdd.

"Hei," meddai, gyda gwên.

"Hei," atebaf. Mae fy llwnc yn sych a theimlaf chwys yn cronni'n oer ar fy nhalcen. Yfaf swig o'r cwrw. Mae'n boeth ac yn afiach.

"Ti'n mwynhau?"

"Ydw. Ti?"

"Ydw, nawr 'mod i wedi ffindo ti." Ei gwên. Mae'i gwên hi'n lysh.

Hi ddywedodd wrtha i am ddod. Dwi ddim yn siŵr ai dyma fy *scene* i a dweud y gwir, ond dyma fi. Dwi yma. Gofynnodd Sadia i mi ddod, a'r peth olaf y byddwn i'n ei wneud fyddai gwrthod gwahoddiad ganddi hi.

Dwi'n fwy cyfforddus yn darllen llyfr mewn caffi na cheisio symud fy mreichiau a 'nghoesau i rythm cerddoriaeth, a hynny yng nghanol tyrfa o filoedd o bobl. Dwi'n heglog ac yn rhy hunanymwybodol i fwynhau dawnsio. Ond mae Sadia'n lleddfu fy ofnau. Mae'r ffaith ei bod hi'n syllu i fyw fy llygaid, a fy llygaid i yn unig, yn gwneud i fi deimlo fel can o Coke, a hwnnw wedi cael ei siglo. Unrhyw eiliad nawr, byddaf yn ffrwydro. Er bod cyrff chwyslyd yn gwasgu o'n cwmpas, dim ond ni'n dau sy'n bodoli. Mae ei chorff yn bownsio i guriad y gân a'i breichiau fel melin wynt o flaen fy llygaid. Ymuna llais Sadia yn y gân, gyda'r côr o leisiau eraill, sy'n gwybod pob gair o gytgan anthemig Tiffany O. Wrth i'r gân chwyddo o'n cwmpas a chyrraedd cresiendo emosiynol, mae Sadia'n rhoi ei dwylo ar fy ysgwyddau ac yn fy nhynnu tuag ati. Mae ganddi bŵer arallfydol. Dyma pam dwi yma.

Ond yn sydyn, clywaf sŵn taran yn hollti'r awyr. Teimlaf ddaeargryn yn siglo'r llawr o dan ein traed ac mae porth uffern yn agor o fy mlaen. Gwelaf y sioc yn rhedeg trwy'r dorf. Mae pawb yn edrych o'u cwmpas, rhai mewn dryswch, rhai mewn panig. Yn sydyn, mae'r parc yn ddisgord anghyfforddus o ganu a sgrechfeydd. Beth sydd wedi digwydd? Aroglaf fwg a gwelaf gwmwl tywyll yn codi o gyfeiriad y llwyfan. Mae Tiffany O wedi diflannu ac mae'r sain wedi ei diffodd. Mae'r tawelwch yn fyddarol, fel rhu dychrynllyd tonnau pell ar draeth gwag.

Clywaf ffrwydrad arall.

Mae'n amlwg i mi beth sydd wedi digwydd. Dwi wedi gweld hyn mewn ffilmiau a darllen amdano mewn papurau newydd. Dwi wedi edrych â diddordeb gwrthrychol sawl gwaith ar luniau o rwbel, ar sgerbwd car yn mudlosgi, ar bobl yn udo eu hofn, ar gyrff gwaedlyd yn gorwedd yno'n llonydd, ond freuddwydiais i byth y byddwn i'n rhan o hunllef debyg. Clywaf sgrechfeydd o'm cwmpas, a rhai'n griddfan gweddïau tua'r nef. Ydy Duw yn clywed? Ydy Allah'n malio?

Caf fy sgubo i ffwrdd gan lif y dorf sy'n chwilio am ddihangfa'r gatiau a chofiaf wylio *The Lion King* pan oeddwn yn grwtyn bach. Dyna beth roeddwn i a Mam yn arfer ei wneud pan oedd Dad yn gweithio shifft hwyr yn y ffactri; pan oedd pethau'n brafiach arnon ni. Bydden ni'n cwtsio i fyny â bowlen o bopcorn yn gwylio un ffilm Disney ar ôl y llall. Cofiaf Scar. A chofiaf feichio crio pan sylweddolais fod Mufasa wedi marw. Marw. Marwolaeth. Y diwedd. Ydw i ar fin marw? Dwi erioed wedi ystyried realiti marwolaeth, ond dyma fi wyneb yn wyneb â fe. Mae cyrff marw ar y llawr a dwi'n camu drostynt, yn ceisio peidio damsang arnyn nhw. Ac mae'r cyrff byw yn gwasgu o'm cwmpas, yn fy ngorfodi at yr allanfa. Blasaf finegr yn fy ngheg. Ysaf am gyfogi. Mae fy nghalon ar garlam, fy ysgyfaint yn dynn a dwi'n methu anadlu. Brwydraf allan o'r dyrfa cyn syrthio ar fy mhengliniau a llowcio awyr iach i mewn i fy ysgyfaint. Diolch byth 'mod i'n fyw. Ond dyw Sadia ddim wrth fy ymyl.

Rhaid dod o hyd iddi.

Rhaid gwneud yn siŵr ei bod hi'n iawn.

6

Sadia

MAE RHYTHM CANEUON TIFFANY O yn cydio ynddon ni, ac er ei ddawnsio trwsgl i ddechrau, mae Nathan yn ymlacio a gadael i'r bît ei feddiannu. Mae'n rhoi ei ddwylo am fy nghanol ac yn fy nhynnu'n nes ac mae'n cyrff yn cyffwrdd. Teimlaf gryndod yn fy nghoesau. Mae pobl yn edrych arnon ni. Yn ein hedmygu. Fan hyn does neb yn beirniadu nac yn codi aeliau. Rydyn ni'n rhydd i fwynhau ein hunain ac i fod yn bwy bynnag rydyn ni am fod. Teimlaf gryndod arall yn hyrddio trwy fy nghorff. Mae'r gymysgedd o gerddoriaeth, dawnsio a'n cyrff yn cyffwrdd yn gyffur, mae'n rhaid. Ond dwi'n sylwi fod rhai pobl yn edrych, nid aton ni, ond trwyddon ni, y tu ôl i ni. Y cryndod eto. Mae Nathan wedi stopio dawnsio. Yna, dryswch. Panig. Cryndod a gwasgu a thywyllwch yn cau amdana i. Blas metel yn fy ngheg a mwg du mor drwchus â thriog yn glynu pawb at ei gilydd. Alla i ddim anadlu. Llowciaf yr awyr ond mae'n bwrw lludw poeth a darnau o ddillad gwaedlyd. Mae Nathan wedi diflannu ac mae lliwiau llachar y dydd wedi troi'n ddüwch dychrynllyd. Teimlaf fy hun yn ymollwng i drwmgwsg a chlywaf Haamid yn fy ngwawdio. "Slwten." Ceisiaf gofio wyneb annwyl Nathan. Ond alla i ddim cofio lliw ei lygaid. Ceisiaf glywed sŵn ei lais, ond mae'r sgrechfeydd yn boddi pob sŵn arall. Mae'r düwch yn fy nhrechu.

7

Nathan

Dwi'n sefyll yng nghanol cae.

Dwi'n ymwybodol o hynny, ond teimlaf fel petawn i ddim yma.

Mae fy nghorff yn y cae. Ond mae mor swreal alla i ddim credu 'mod i yma.

Mae pawb yn sgrechian ac yn rhedeg o'm cwmpas i bob cyfeiriad fel morgrug ar ôl ymyrryd â'u nyth.

Ond dwi'n gerflun llonydd. Yn methu symud. Methu meddwl.

Methu gweld na dod o hyd i Sadia.

Shit. Shit. Shit.

Sganiaf yr wynebau o'm cwmpas.

Dim arwydd ohoni.

Blas mwg. Blas metel. Blas sudd oren wedi troi.

Chwydu.

Panig.

Anadl ddofn i fewn.

Anadl ddofn allan.

Cyfri i ddeg.

Dechrau cerdded.

Anelaf am yr allanfa. Mae golwg ddryslyd ar yr wynebau o'm cwmpas, wrth i bawb geisio gwneud synnwyr o beth allai fod wedi digwydd. Rydyn ni'n edrych fel meirw byw. Mae llais swyddogol yn cael ei daflu o'r uchelseinydd ac yn diasbedain ar draws y parc.

"Symudwch yn drefnus ac yn bwyllog tuag at yr allanfeydd. Peidiwch â rhedeg."

Ai jôc sâl oedd hynny? Dwi'n hoff o eironi ond does dim byd eironig am fod yng nghanol ymosodiad. Trefnus a phwyllog? Does dim byd pwyllog am y sefyllfa hon. Mae hofrenyddion wedi dechrau cylchu uwch ein pennau – rhai melyn a du sy'n perthyn i'r heddlu gyda'u llifoleuadau yn sgubo droson ni. Ac mae hofrenyddion y sianeli newyddion wedi cyrraedd hefyd. Gwelaf blismyn uwch fy mhen, yn pwyso allan, a'u gynnau wedi eu hanelu i lawr at y dorf, yn barod i saethu. Mae'r camerâu yn pwyntio ac yn saethu eisoes.

Dwi'n siŵr fod hyn oll yn wledd i Dad

mewn ffordd afiach. Gallaf ddychmygu Dad yn gwylio'r newyddion, yn awchu am waed, yn ffonio ei fêts er mwyn trefnu iddyn nhw fynd allan i'r stryd fel y Gestapo. Byddai Mam, ar y llaw arall, yn cnoi ei hewinedd, yn poeni amdana i. Fflachia goleuadau glas o bob cyfeiriad ac mae plismyn mewn gwisgoedd du gyda gynnau peiriant yn brasgamu heibio, gan weiddi cyfarwyddiadau ar ei gilydd. Pwyllog? Does dim byd yn dweud 'pwyllog' yn well na gynnau peiriant. Heddlu arfog – dyna'r peth olaf i wneud i bobl deimlo'n ddiogel.

Does dim sôn am Sadia. Does dim signal ffôn yma. Does dim ffordd o gysylltu â hi. Dim hijab piws ar gyfyl y lle.

Ac yna mae'n fy nharo.

Hi sydd mewn mwyaf o berygl.

Wrth i ni gyrraedd allanfa'r parc mae pawb wedi gwasgu at ei gilydd yn dynn fel sardîns. Mae fel bod ar y Tube yn Llundain adeg y *rush hour.* Yn araf bach mae pobl yn dechrau sibrwd ac yn ailddarganfod eu lleisiau. Yna mae rhai'n troi'n dditectifs, yn ceisio dyfalu beth ddigwyddodd, gyda phobl sy'n gwybod dim yw dim yn siarad â phendantrwydd awdurdodol. Mae'r bobl hyn yn mynnu mai'r hyn sydd yn siwtio'u bydolwg nhw yw'r gwirionedd. Teimlaf fy stumog yn troi wrth i mi glywed,

"Terfysgwr oedd e. Barf fawr. *Paki scum.*"

Am eiliad gallwn dyngu mai fy nhad sy'n siarad.

Dyna pam dwi'n credu nad fe yw fy nhad. Mewn ffordd od, a dwi'n cyfadde fod hyn yn od, erbyn hyn dwi'n gobeithio fod Mam wedi cael affêr gyda rhyw foi egwyddorol a chlyfar. Rhywun fel Obama. Mae pawb yn dweud mai dyn da oedd e na welwn ni ei debyg eto. Neu falle hyd yn oed bod yr ysbyty wedi gwneud camgymeriad a rhoi'r babi anghywir i Mam – chi'n clywed am bethau fel'na'n digwydd weithiau. 'Gallwch chi ddewis eich ffrindiau, ond allwch chi ddim dewis eich teulu' yw'r *meme* cawslyd 'na, ontife? Ond alla i ddim credu mai'r gamwn sy'n gorwedd am oriau ar y soffa mewn crys-T #FreeTommyMorris yw fy nhad. Felly pan dwi'n clywed rhywun yn dweud "Paki scum" dwi'n meddwl am Dad, gan fod Dad yn ddyn sy'n defnyddio iaith fel'na.

Edrychaf i gyfeiriad y llais. Wrth gwrs – Kai

Mullet. Y prif *knobhead,* y gwisgwr tracsiwt heb ei ail a phyrf mwya'r dref, fel ddaeth i'r amlwg yn Hard Lines. Mae'n dod i boenydio cwsmeriaid Café Pashar hefyd. Daw bob hyn a hyn yn unswydd i boenydio pwy bynnag sydd yna. Jyst "am laff". Am goc oen. Ac mae hynny'n fy nghynnwys i, gan fy mod i'n gweithio yno ar benwythnosau. Dwi'n difaru fy enaid nad ydw i yno y funud hon yn glanhau'r byrddau ac yn sgubo'r llawr. Yn tywallt coffi tsiep a chwerw i Sadia wrth iddi ddarllen yn ddistaw ger y ffenest yn gweld y byd yn mynd heibio.

Ble mae hi?

Does dim byd sbesial am Café Pashar, ond fe gewch chi *fry-up* wnaiff roi harten i chi. Mae gen i fy nghwsmeriaid ffyddlon: y mamau a'u bygis; y babis a'u dymis; Bob y Barbwr, sy'n dod am baned yn brydlon am hanner awr wedi tri er mwyn cael seibiant o'r *short back and sides*; Mr Khan sy'n hoffi ei goffi'n ddu ac yn gryf ac sy'n syllu trwy'r ffenest ar fynd a dod bywyd y stryd. Rydyn ni'n gymuned, o fath.

Mae Mam yn dod yma hefyd weithiau. Pan fyddai Dad yn KO ar y soffa byddai Mam yn dod yma am baned a sgwrs â'i mab, heb orfod poeni am Dad yn ymddwyn fel gwenynen wenwynig, yn hofran o'n hamgylch, yn poenydio ac yn pigo. Dwi wrth fy modd pan mae Mam yn dod yma. Dwi'n dweud wrthi am eistedd i lawr a chaf i gyfle i ddangos fy ngharaid tuag ati yn y modd mwyaf syml: berwi tegell, gwneud paned o de, a rhoi sleisen hegar o Victoria Sponge ar blât iddi. Ond ar y llaw arall fe gewch chi'r iobs sy'n crynhoi i gadw stŵr ar ôl cael eu cicio allan o'u cartrefi gan rieni blin.

Pobl fel Kai Mullet.

Fis yn ôl, cyn yr olygfa yn Hard Lines, dyma fe a dau *sidekick* yn cerdded i mewn i'r caffi. Gwthion nhw'r drysau'n agored, fel cowbois drwg yn cerdded i mewn i *saloon bar*, a thawelodd pawb. Roedden nhw'n rhochian chwerthin ac wrth eu boddau wrth weld yr ofn yn llygaid y cwsmeriaid. Roedd eu rhegfeydd hyll yn bownsio oddi ar y waliau a newidiodd yr awyrgylch mewn amrantiad. Edrychai'r mamau arno'n ofnus, gan godi'r babis i'w colau. Symudodd Mr Khan yn anghyfforddus yn ei gadair, yn chwilio am gyfle i ddianc i'r stryd. Y tro hwnnw, archebodd Kai dri chan o Coke a thair brechdan facwn heb unrhyw ffws. Dechreuais ymlacio gan obeithio bod Kai, am unwaith, mewn hwyliau da. Ond yna cerddodd tuag at Mr Khan a chipio'i bapur newydd.

"Dwi ddim wedi gorffen ei ddarllen e eto."

Poerodd Kai i ganol cwpan coffi Mr Khan.

"Wel, mae angen gweld y *sports pages* arna i."

Tawelwch. Crymanodd Mr Khan yn y fan a'r lle, yn ddarlun o anobaith. Ond yna,

"O na, gwd boi. Cer i brynu dy racsyn o bapur newydd dy hunan."

Gaynor. Fy arwres. Fy hoff gwsmer. Mae'n anodd dyfalu beth yw oedran Gaynor. Yn ein hardal ni mae'r trigolion yn heneiddio'n glou a gall pobl sy'n ddeugain mlwydd oed edrych fel petaen nhw'n barod i godi eu pensiwn. Teithiwch ddwy filltir i'r gogledd ac mae'n fyd gwahanol gyda menywod deugain mlwydd oed swbwrbia yn edrych hanner eu hoedran gyda help Botox a hyfforddwr personol. Chewch chi ddim nonsens fel'na gan Gaynor. Ffrog flodeuog, cot ddi-siâp, cap gwlân am ei phen a llond plât o onestrwydd. Dyw hon ddim yn brin o ddewrder! Dyna lle'r oedd hi, ar ei thraed, staen ffa pob i lawr blaen ei ffrog, mellt yn ei llygaid a'i ffon wedi ei hanelu at Kai, fel petai hi'n gowboi o'r Gorllewin Gwyllt.

"Rho'r papur 'na'n ôl i Mr Khan, nawr!"

Edrychodd Kai arni, a'i geg yn agor a chau fel pysgodyn aur.

"Be sy'n bod arnot ti, grwt? Wedi colli dy dafod? Ddim fel ti i fod mor dawel!"

Taflodd Kai y papur newydd yn ôl at Mr Khan. Brasgamodd allan o'r caffi fel petai wedi llenwi ei drôns. Dilynodd ei ddau ffrind ef, a'u cynffonnau rhwng eu coesau, yn ffoi rhag dialedd Gaynor. Pan gaeodd y drws ar eu holau clapiodd y mamau eu cymeradwyaeth. Ond sylwodd Gaynor ddim. Roedd hi wedi troi'n ôl at ei brecwast seimllyd ac yn mwynhau pob cegiad.

Fel Johnny Boxer yn Lufkin, roedd Gaynor wedi rhoi Kai yn ei le. Ond yma, yng nghanol torf sydd mewn panig, mae gan Kai ei blatfform perffaith. Clywaf ef yn ailadrodd yr un ddau air hyll, dro ar ôl tro.

"Paki scum. Paki scum."

Mae'n ceisio'n hannog ni i ymuno ag e. Mae'n mynd i hwyl. Mae'n amlwg ei fod wedi gwylio gormod o fideos o ralïau Tommy Morris, lle mae degau o bobl wynion, gan gynnwys Dad, yn cydadrodd nonsens fel hyn. Mae Kai yn edrych o gwmpas er mwyn ceisio dod o hyd i wynebau cefnogol. Mae'n fy ngweld i.

"Hei ti! Oeddet ti'n nabod e?"

Dwi'n edrych i ffwrdd ac yn ceisio ei anwybyddu. Ond nawr mae llygaid pawb arna i. Ceisiaf ymbellhau oddi wrth Kai, ond mae'r wasgfa'n rhy dynn.

"Hei!" Kai eto. "Ti'n nabod nhw, on'd wyt ti? Y terfysgwyr. Ti'n mynd mas 'da un. Weles i chi yn Lufkin. Ma nhw'n bobman, fel pla. Blychau post ar ddwy droed, pob un ohonyn nhw."

Mae ei gwestiynau yn gyhuddiadau. Mae e'n fy rhoi ar brawf. Meddyliaf am Sadia yn ei hijab piws. Dwi'n ysu am gael ateb yn ôl gyda'r un dewrder â Gaynor. Sefyll yn ei erbyn fel Johnny Boxer. Eisiau'r un grym arwrol â Sadia. Ond dwi'n gachgi sydd eisiau dianc ac achub ei groen ei hun. Camaf i ganol y dorf er mwyn diflannu a bod yn anweledig. Gwthiaf ymlaen, gan ffieiddio ata i fy hunan, ac o'r diwedd dyna'r allanfa. Mae heddlu ym mhobman yn pwyntio bysedd, yn pwyntio gynnau ac yn gweiddi gorchmynion.

Ewch adre.

Dewch yma.

Sefwch mewn rhes.

Dwylo lan, a thraed ar wahân.

Gwelaf fflyd o ambiwlansys yn sefyll yn rhes segur yr ochr draw i'r stryd. Mae sawl camera yn fflachio yn fy wyneb. Ond hyd yn hyn does dim golwg o Sadia. Gafaela rhywun yn dynn yn fy mraich a'm taflu o'r neilltu.

"Symuda! Nawr!"

Dwi ddim yn credu fy llygaid. Rholia tanc i lawr canol y ffordd i gyfeiriad Trelluest. Mae sawl colofn o fwg tywyll yn codi i'r awyr. Mae ein dinas ar dân.

8

Sadia

CEISIAF ANFON NEGES DESTUN at Mam, ond does dim signal ffôn. Ceisiaf ffonio Nathan, ond dim ond biiiiiiiiiiiiiip hir dwi'n ei gael. Mae'r systemau i gyd i lawr. Wrth gerdded o'r parc i gyfeiriad Trelluest gwelaf lawer o bobl yn yr un sefyllfa â fi – mewn penbleth, yn ceisio gwneud synnwyr o bethau, ar goll yn eu dinas nhw eu hunain ac yn chwilio am ddiogelwch – pawb am fynd adre. Mae strydoedd canol y ddinas yn arswydus o dawel ac mae pob cam a gerddaf yn adleisio oddi ar waliau concrit yr adeiladau. Does neb yn siarad â'i gilydd a does dim un car ar yr hewl. Mae fel diwedd y byd. Ond mae sŵn hypnotig yr hofrenyddion uwch fy mhen yn gefndir i'r cyfan, a chlywaf rybudd aflafar seirenau'r heddlu yn y pellter.

Cyrhaeddaf y bont dros yr afon. Dyma'r

ffin draddodiadol rhwng canol y ddinas a strydoedd y gorllewin. Dyma'r bont sy'n gwahanu cyfoeth y siopau a'r bwytai drudfawr a thlodi Trelluest. Sylwaf fod pobl yn ciwio fan draw. Diolch byth. Yn fur melyn llachar saif yr heddlu ar draws y bont ac mae pobl yn cerdded yn ffyddiog tuag atyn nhw. Caiff rhai basio heibio'n ddigwestiwn, ond mae eraill yn cael eu stopio a'u cymryd i'r naill ochr. Mae fy ngwaed yn oeri pan welaf y patrwm. Mae rhywbeth yn gyffredin yn y criw sy'n cael eu gwrthod.

Maen nhw i gyd yn edrych fel fi.

Nawr dwi'n deall arwyddocâd y sgwrs roddodd Anti Halia i mi un noson, flynyddoedd yn ôl, pan oedd hi yn fy ngwarchod.

Roedd fy rhieni wedi mynd i ddathlu pen-blwydd un o gyd-weithwyr Dad. Wedi noson gartrefol o yfed te a dyncio Rich Teas a gwylio sothach fel *DIY SOS*, dyma Anti Halia yn diffodd y teledu, cydio yn fy nwylo, a syllu i fyw fy llygaid.

"Sadia?" dywedodd mewn llais difrifol, rhyfedd. Roeddwn i'n caru'r Anti Halia chwareus a dros ben llestri. Ond am yr Anti

Halia hon, doeddwn i ddim yn siŵr ohoni hi o gwbl.

"Ie?" atebais yn betrusgar.

"Wyt ti'n gwybod beth i'w wneud pan mae plismon yn dy stopio ar y stryd?"

Doeddwn i ddim yn deall y cwestiwn. Pam fyddai plismon yn fy stopio ar y stryd? Pam roedd Anti Halia'n codi ofn arna i fel hyn?

"Rwyt ti fod ateb pob cwestiwn yn gwrtais a dilyn eu cyfarwyddiadau i'r sill! Dim ateb 'nôl. Dim symudiadau sydyn."

Syllais arni.

"Deall?" meddai Anti Halia'n siarp.

"Deall!" atebais i, yr un mor siarp.

Doeddwn i ddim wedi deall bryd hynny. Ond nawr, wrth sefyll ar y bont, dwi'n dechrau deall. Dwi'n deall fod y plismyn yn amddiffyn ac yn gwarchod, ond nid amddiffyn a gwarchod pobl fel ni.

Sylweddolaf y bydd yn rhaid i fi chwilio am ffordd arall adre, ar fy mhen fy hun. Heb Nathan.

Erbyn i fi gyrraedd tai teras cyfarwydd Trelluest mae'r lleuad lwyd yn uchel yn yr awyr, ac yn peintio'r strydoedd culion gyda'i golau oer. Mae blas chwerw, miniog yn yr awyr fel blas finegr. Dwi wedi ei flasu unwaith o'r blaen pan glywais am y swastica ar wal y mosg. Blas casineb. Ydy pawb yn gallu blasu teimladau? Mae gen i ryw chweched synnwyr sy'n fy ngalluogi i flasu teimladau. Pan dwi yng nghwmni Nathan dwi'n gallu blasu coffi ffres a siocled poeth.

Clywaf sŵn tyrfa yn y pellter, fel storm yn crynhoi. Mae'n sŵn arswydus, sy'n gwneud i fi ddymuno bod adre gyda Dad a Mam. Gorfodaf fy nghoesau i symud yn gynt ac yn gynt. Dwi'n ysu am gael cloi fy hun yn niogelwch fy nghartref. Ond mae larwm yn fy mhen yn fy rhybuddio bod perygl rownd pob cornel, ac i lawr pob lôn gefn. Yr unig gwmni i mi fan hyn yw graffiti'r stryd a sgerbydau ceir celain o flaen hen dai trist. Oedaf o dan furlun Betty Campbell, sy'n graddol golli'i liw, a dwi'n dal i glywed y siantio bygythiol. Ar noson fel heno mae'n amhosibl dweud o ble y daw'r sŵn. Ydyn nhw'n agos? Ydyn nhw'n bell i ffwrdd?

Rhosyn yn tyfu trwy goncrit – dyna sut disgrifiodd Dad fi unwaith. Ond dim ond chwyn sydd yma. Mae sbwriel ym mhobman hefyd. Clywaf ddau jynci yn rhegi ei gilydd yn y parc. Ond nid dyma sy'n gwneud i fi deimlo'n anghyfforddus, achos mae'r golygfeydd a'r synau hyn wedi bod yn rhan o gefnlen fy mywyd erioed. Blas y finegr ar fy nhafod sy'n gyrru ias i lawr fy nghefn.

Mae bloeddiadau'r dyrfa'n tyfu'n uwch ac yn uwch wrth i fi agosáu at y groesffordd sy'n ganolbwynt i ardal Trelluest. Os ydw i am gyrraedd adre cyn gynted ag sy'n bosibl, bydd rhaid i fi fagu plwc a cherdded trwy'r groesffordd honno. Ond o'r cyfeiriad yna y daw'r bloeddio bygythiol. Beth ydw i fod i'w wneud? Gallaf weld y groesffordd yn glir oherwydd mae wedi'i goleuo fel stadiwm pêl-droed. Nid goleuadau stryd ydyn nhw – mae lampau strydoedd y ddinas i gyd wedi eu diffodd heno. Mae'n rhaid bod degau o geir yno, gyda'u llifoleuadau yn troi'r nos yn ddydd. Ac mae coelcerth anferth yng nghanol y ffordd. Clywaf gyrn yn canu, cerddoriaeth yn rhuo a bonllefau aflafar yn llenwi'r awyr. Mae'n rhaid bod cannoedd o bobl yno.

Erbyn hyn dwi wedi cyrraedd Café Pashar, ac mae arna i ofn mynd ymhellach. Sylwaf fod y perchennog wedi hoelio estyll ar draws y ffenestri. Mae fy ngreddf yn dweud wrtha i am droi'n ôl ac osgoi'r groesffordd heno.

Wrth i mi gynllunio ffordd arall o gyrraedd adre, dyma gar yn ymddangos o rywle. Gyrra heibio'n araf, araf ac mae'r ffenest yn agor mewn tawelwch. Wyneb creithiog gwyn. Pen wedi'i siafio'n hollol foel. Hedfana lwmpyn o boer tew o'i geg hyll yn syth tuag ata i. Neidiaf yn ôl mewn braw ac atgasedd a gyrra'r car i ffwrdd. Beth yn y byd sy'n digwydd? Edrychaf o'm cwmpas ar y tai. Ydw i'n nabod rhywun sy'n byw fan hyn? Allwn i gnocio ar ddrws rhyw dŷ a gofyn am help? Sylwaf ar ferch ifanc yn syllu arna i o ffenest un o'r tai. Hijab piws fel fi sydd ganddi. Yna gwelaf ddyn – ei thad siŵr o fod – yn cydio ynddi a'i thynnu i gysgodion yr ystafell fyw cyn cau'r llenni'n frysiog. Dwi ar fy mhen fy hun. Dyma'r tro cyntaf erioed i mi deimlo'n unig yma yn Nhrelluest. Dim ond un peth sydd ar fy meddwl nawr, sef cyrraedd adre yn ddiogel. Rhaid cadw'r meddwl yn glir. Rhaid peidio panicio. Gobeithio bod Nathan yn iawn.

Erbyn hyn dwi'n gallu clywed yn glir beth sy'n cael ei weiddi gan y dyrfa.

"Ein tref! Ein gwlad! Ein tref! Ein gwlad!"

Slogan Tommy Morris.

Bob tro y gwelaf ei wyneb ar y teledu neu ddarllen ei sloganau bachog ar Twitter dwi eisiau cyfogi. Dwi eisiau gweiddi. Dwi eisiau sgrechian. Dwi eisiau gwneud rhywbeth i unioni'r cam – unrhyw beth. Rhoi slap i rywun. Taflu carreg trwy ffenest. Protestio. Gwrthdystio.

Nawr mae'r dorf sydd wedi ymgynnull ar y groesffordd wedi fy ngweld i. Maen nhw'n ffroeni'r awyr. Maen nhw'n dechrau symud yn araf tuag ata i, fel un corff. Rhaid i fi symud. Dylwn i redeg. Dylwn i ffoi am fy mywyd. Ond dwi'n sefyll yn stond achos dyw fy nghoesau ddim yn gweithio. Dydyn nhw ddim yn symud. Ceisiaf anfon signalau o fy ymennydd i lawr at fy nghoesau ond mae'n rhaid bod clymau yn y gwifrau. Does dim signal. Does dim ymateb. Does dim gobaith.

"Free Tommy Morris! Free Tommy Morris!" Mae'r dorf wedi mynd i hwyl.

"Pakis! Pakis! Pakis! Out! Out! Out!" sgrechia'r bwystfilod.

Erbyn hyn mae un o arweinwyr y dorf

wedi tanio ffagl goch i awyr y nos, a chaf fy atgoffa o wers hanes am y KKK.

Roeddwn i'n arfer rhannu desg â Hanna yn y gwersi hanes. Roedden ni'n dwy yn ffrindiau da. Er, wrth feddwl am y peth, sai'n gwybod pam. Roedd ganddi hi wallt hir melyn a hoffai wisgo dillad tyn, tyn, oedd yn gadael dim i'r dychymyg. Nid bod hynny'n rheswm dros beidio bod yn ffrindiau â hi. Gall pobl wisgo beth lician nhw. Ond cefais olwg wahanol ar Hanna ar ôl y wers hanes honno. Ar ôl i Mr Lewis esbonio pwy a beth oedd y KKK, dyma Hanna yn troi ata i ac yn dweud,

"Ddim 'mod i'n cytuno â'r KKK, *obviously*, a dwi ddim yn hiliol, *obviously*, ond ma rhywbeth i'w ddweud am gadw pobl o wahanol liw a chrefydd a stwff ar wahân."

Dwi'n cofio meddwl, "WTF?!"

Syllais arni yn gegagored.

"Ond dim ti, Sadia, *obviously*, ti'n iawn!"

A dyna sylweddoli pa mor dwp oedd Hanna. Mae'n rhaid bod ei hymennydd hi yn fach fel pysen. Ac yna rhedodd tâp o'r holl sylwadau dwl a ddywedodd Hanna erioed yn fy nghof:

"Wyt ti'n cael *fried chicken* bob nos?"

"Ydy dy rieni yn gefndryd?"

"Wyt ti'n casáu Cristnogion?"

"Faint o *turbans* sydd gan dy dad?"

Ocê, *hold on.* Ble i ddechrau?!

1. Dydy pobl groen tywyll ddim yn bwyta mwy o *fried chicken* na phobl wyn.

2. Nac ydyn.

3. Wrth gwrs nad ydw i'n eu casáu nhw... wel, dim ond os ydyn nhw'n *nutters* fel y rhai 'na ar raglen Louis Theroux. Ond hyd yn oed wedyn dwi ddim yn eu casáu nhw, jyst yn teimlo'n flin amdanyn nhw.

4. Dydy pob Mwslim ddim yn gwisgo twrban. A dweud y gwir, mae'n fwy cyffredin i Siciaid wisgo twrban. *Thicko.*

Twp neu be?!

Fydd rhai pobl byth yn newid, felly ar ôl y wers hanes honno a'i chwestiynau dwl, dywedais i hwyl fawr wrth Hanna. Es i i eistedd gyda Tomos. Roedd angen ffrind arno fe.

*

Nawr mae'r mob ar gerdded i gyfeiliant ffenestri'n torri, wrth i gerrig a brics gael eu taflu. Mae'r dyrfa'n gweiddi'n fuddugoliaethus. Iddyn nhw, dinistrio yw ennill.

Sgriala car arall i stop wrth fy ymyl. Nawr mae ar ben arna i. Ofnaf y gwaethaf wrth i'r drws cefn saethu ar agor fel petai herwgipwyr ar fin fy llusgo oddi ar y stryd i'w crafangau. Dwi wedi gwylio gormod o ddramâu ditectif, yn amlwg. O sedd gefn y car clywaf lais cyfarwydd yn gweiddi,

"Sadia! Glou! Neidia mewn! Nawr!"

Haamid.

Nid fy marchog golygus mewn arfwisg sgleiniog, ond bydd yn rhaid iddo wneud y tro am nawr.

Neidiaf yn ufudd i gefn y car a sgrialu oddi wrth y dorf.

9

Nathan

BU'N DAITH RYFEDD ADRE. Roedd milwyr ar y strydoedd, tanau'n llosgi yn y parciau, ffenestri sawl siop gornel yn deilchion a'r silffoedd eisoes wedi eu gwagio. Ond o'r diwedd cyrhaeddais ein tŷ ni a throi'r allwedd yn y drws. Mae mor dawel â'r bedd yma. Yn wahanol i'r tu fas. Ble mae fy rhieni? Ble mae Mam? Gobeithio nad yw hi wedi'i chymryd gan Dad i ryw brotest bathetig. Clywaf sŵn gweiddi a thraed yn dianc i lawr y lôn gefn, ceir yn sgrialu heibio, a blasaf fwg y tanau yn yr awyr. Mae Trelluest wedi bod fel llosgfynydd ar fin ffrwydro ers misoedd, a heno mae'n Vesuvius wedi chwythu, a magma a gwreichion yn syrthio o'n cwmpas ym mhob man. Beth fydd ar ôl erbyn y bore? Fel pobl Pompeii, does dim ffordd i ni ddianc. Dwi'n gweddïo nad yw Sadia mas ar y strydoedd ar ei phen ei hun.

Gweddïo. Mae agwedd pobl tuag at weddi yn ddiddorol. Dwi'n deall pam fod pobl sy'n credu yn Nuw yn gweddïo. Ond pan mae rhywbeth mawr yn digwydd, rhywbeth fel hyn, rhywbeth fel heno – wel, bydd pawb yn gweddïo wedyn. A bydd y weddi'n troi'n hashnod. Am wn i bod rhywbeth yn ddwfn ym modolaeth pob un ohonon ni sydd angen troi at rywbeth neu rywun mwy na ni ein hunain mewn argyfwng.

A heddiw mae rhywbeth mawr wedi digwydd. Felly mae pawb yn gweddïo. Pan ddaw'r systemau i gyd 'nôl ar-lein bore fory bydd #prayforcardiff yn trendio, gewch chi weld. Mae pob trasiedi'n troi'n hashnod. Grenfell. Manceinion. Tower Bridge. Ond yna daw'r hashnodau i ben a fydd neb yn cofio a fydd dim byd yn newid. Bydd pobl jyst yn aros am yr hashnod nesaf. Dwi'n gobeithio y daw dydd y cawn ni fyw mewn byd lle na fydd rhaid troi gweddi yn hashnod.

Mae Mam yn gweddïo'n aml. Mae'n gas gen i weddïau Mam oherwydd maen nhw'n mynd law yn llaw â ffrwydradau Dad. Mewn amrant mae Mam a'i chefn at y wal a dwylo Dad o amgylch ei gwddf a Mam yn sibrwd,

"Plis Duw, plis Duw..." yn dawel nes fy mod i'n tynnu Dad oddi arni ac yn cael pwniad yn ôl. Diolch i'r drefn fy mod i'n llawer mwy na 'nhad erbyn hyn a'i fod e'n wan, ym mhob ffordd.

Mae mor dawel yma rhwng pedair wal. Dwi erioed wedi bod adre mewn distawrwydd llethol o'r blaen oherwydd fel arfer mae Dad yma. Er mwyn llenwi'r gwacter dychmygaf Dad yn gorweddian ar y soffa yn tynnu ar ei sigarét a Mam yn syllu'n wag ar y teledu. Ond mae fel arfer yn swnllyd. Neu o leiaf mae'r fideos YouTube mae Dad yn eu gwylio yn swnllyd. Mae olion eu hoglau nhw yma hefyd, fel hen chwys. Ble maen nhw? Dwi'n gallu teimlo eu presenoldeb, er nad ydyn nhw yma yn y cnawd. Mae pant tywyllach yn y soffa frown lle mae Mam yn arfer eistedd ac mae ôl llosg yn y carped lle mae Dad yn tueddu i ollwng ambell sigarét wrth iddo gwympo i gysgu. Nid 'mod i'n meddwl am eiliad y byddai Dad yn poeni amdana i, ond dwi'n synnu nad yw e yma yn gweiddi ar y teledu wrth wylio'r newyddion neu'n postio'n ddi-baid ar y fforwm trafod Morrismania.com, sy'n llawn bots o Rwsia ac sy'n bwll diwaelod o ffwlbri a chasineb. Ond does dim modd mynd ar lein heno ac mae hyd yn oed y teledu yn fud.

Edrychaf o'm cwmpas a gweld yr un hen olygfa gyfarwydd. Mae caniau cwrw ar y llawr, bocsys *polystyrene* cebábs y noson cynt ar y bwrdd a llun ar y silff ben tân. Cerddaf at y llun ac yno'n gwenu'n dlws arna i mae Mam, Dad a fi yn fachgen bach. Mae'r sylweddoliad yn fy nharo i fel mellten. Dyw pethau ddim wastad wedi bod mor ddu â hyn. Pryd tynnwyd y llun? Roedden ni'n hapus unwaith – fi, Mam a Dad – ond alla i ddim cofio pryd newidiodd pethau.

Dwi'n cofio un trip ar y trên i Ynys y Barri. Roedd hi'n chwilboeth, a'r haul yn ffrisbi melyn fry yn yr awyr. Beth oedd fy oedran i? Wyth? Digon hen i deimlo mor anghyfforddus â phengwin yn yr anialwch wrth eistedd yn y pram tra bod Mam a Dad yn ciwio am sglods. Yna'r rhyddhad o dynnu fy esgidiau a rhedeg ar hyd y traeth gan deimlo'r tywod yn cosi bodiau fy nhraed ac awel y môr yn byseddu fy nghroen. Adeiladu castell tywod, neidio dros y tonnau bach chwareus a chwympo i gysgu o dan ymbarél fawr streipiog cyn deffro gyda Mini Milk fanila yn toddi'n rhaeadr gludiog gwyn dros fy ngên.

Gallaf gofio ambell beth arall hefyd. Pethau bach syml. Bîns a chaws ar dost a gwydraid o laeth wedi i mi ddod adre o'r ysgol. Dad yn dod i fy ngwylio yn chwarae pêl-droed. Tripiau i McDonald's.

Roedd yna brofiadau bythgofiadwy hefyd. Dwi'n cofio cerdded ar hyd Ninian Park Road, fi ar ysgwyddau fy nhad, het goch yr un, methu teimlo bodiau ein traed oherwydd oerfel mis Tachwedd a ninnau'n gweld Aaron Ramsey yn sgorio ddwywaith ac yn breuddwydio am haf o grwydro Ewrop yn dilyn ein harwyr. Dyna chwaraewr oedd Ramsey. Dwi'n dal i fwynhau gwylio hen ffilmiau ohono yn ei anterth. Arwr go iawn.

Yn fuan wedi hynny caewyd y ffactri lle'r oedd Dad yn gweithio. Addawodd y gwleidyddion na fyddai'r ffactri'n cau. Yna addawodd y gwleidyddion y deuai swyddi newydd i'r ardal. Ni ddaeth swyddi. Addawodd Dad y byddai popeth yn iawn. Nid felly y bu.

Cwympo mas.

Gweiddi.
Cwrw.
Whisgi.
Dyrnu.
Cypyrddau ac oergell yn wag.
Trydan yn diffodd.

*

Yn sydyn mae sgrin y laptop yn deffro ac yn mynnu fy sylw. Mae'n amlwg bod pethau'n dechrau dod 'nôl i drefn. Diolch byth – mae gobaith i fi allu cysylltu â Sadia. Mae'r laptop ar y bwrdd coffi yng nghanol y platiau budr, y tabloids a phosteri o wyneb hyll Tommy Morris. Mae sbrings y soffa yn brathu fy mhen ôl wrth i mi eistedd. Morrismania.com. Wir? Agoraf y ddolen 'Trelluest Mosque' ac mae fy ngwaed yn oeri wrth i fi weld stori'r noson yn datblygu ar y sgrin o fy mlaen. Poraf drwy'r dudalen a theimlaf yn fudr. Ydw i eisiau parhau i ddarllen neu beidio? Dwi'n cael y teimlad 'mod i'n mynychu parti nad ydw i eisiau bod yn rhan ohono.

Clywed nath bom mynd bant yn y gyngerdd
- Nigel2016

Nick1234 wedi ymuno

Shit. Siwr?
- Nick1234

Pakis siwr o fod
- Nigel2016

Tiffany1 wedi ymuno
DaveSS wedi ymuno
BarbsX wedi ymuno

Dim dowt
- Nick1234

David wedi ymuno
Brits4Britain wedi ymuno
JohnPower wedi ymuno
FuriousCitizen wedi ymuno
WhiteGuy wedi ymuno
AngryDude wedi ymuno

Be ni min i neid? DIGON IW DIGON.
- DaveSS

Mond 1 peth galle ni neud. Bwrw nol.
- AngryDude

Le?
- FuriousCitizen

LiarLiar wedi ymuno
Alunbach wedi ymuno
ColdWinter wedi ymuno
MissWales wedi ymuno

MrPiggy wedi ymuno
Devil_in_a_Dai_Cap wedi ymuno
MeicArmstrong wedi ymuno
MaxPower wedi ymuno
Bombthelot wedi ymuno
Welsh4Britain wedi ymuno
LodesFawr wedi ymuno
VeryAngryDude wedi ymuno

Ble mae'n hurto mwya. Lol.
- LodesFawr

Mosg?
- MrPiggy

U red my mind gwb boi. Lol
- LodesFawr

ble ni'n cwrdd?
- Alunbach

Canol dre. spread the word. Cymryd nol cyntrole!
- Nigel2016

Ac yna mae'r sgrin yn ddu unwaith eto. Ond dwi wedi gweld digon a chaeaf glawr y laptop yn glep. Rhedaf at ddrws y tŷ a mas i ganol anhrefn y nos. Anelaf at y mosg gan weddïo o waelod fy enaid nad yw Sadia ar gyfyl y lle.

10

Sadia

RYDYN NI FEL SARDÎNS yma, ac mae'n gas gen i sardîns. Dwi ddim yn hoffi bwyta unrhyw fath o bysgod ond mae Mam yn mynnu fy mod i'n bwyta samwn unwaith yr wythnos, gan fod bwyta pysgod yn miniogi'r ymennydd. *Omega-3 fatty acids*. Bob tro y caf ganlyniadau da mewn profion neu waith cwrs yn yr ysgol mae Mam yn gwneud yn siŵr 'mod i'n diolch iddi hi. Mae'n gadael i bawb wybod bod fy ngyrfa academaidd ddisglair yn deillio o'r holl samwn mae hi'n ei orfodi lawr fy nghorn gwddf. Mae'r diolch i gyd iddi hi – dyw e ddim byd i'w wneud â'r ffaith 'mod i'n alluog ac yn gweithio'n gydwybodol am oriau ar fy ngwaith ysgol. Does dim eisiau canmol ymdrechion Sadia, rhag ofn i'w phen hi chwyddo – ond mae'n rhaid canmol rhinweddau'r samwn!

Y broblem fwyaf yn fy marn i ynglŷn â samwn, a physgod yn gyffredinol (yn enwedig mecryll), yw'r arogl. Mae'n ddrewdod sy'n glynu at bob peth ac yn oedi o gwmpas y tŷ, yn llercian mewn corneli yn barod i'ch atgoffa o'r pryd bwyd pysgodlyd am ddiwrnodau wedyn. Ddyddiau ar ôl i chi goginio mecryll mae popeth yn yr oergell yn dal i flasu ac arogli fel mecryll.

Mae casineb fel mecryll. Mae'n gadael ei ôl. Mae'n difetha popeth da. Mae'n staenio bywyd.

*

Rydyn ni wedi'n gwasgu'n dynn, dynn yng nghyntedd y mosg, heb le i anadlu bron. Mae pobl yn gwthio yn fy erbyn am yr ail dro heddiw, ond nid cyffro sy'n rhedeg drwy'r gynulleidfa hon, ond ofn. Mae Haamid, fy achubwr, wedi diflannu i'r ystafell weddïo gyda'r dynion eraill ac fe'u clywaf yn gweiddi, yn dadlau ac yn trafod yn ddwys tra ein bod ni, y merched, wedi ein corlannu fel defaid i'r fan hyn.

"Sadia!"

Llais Mam uwch y dorf yn falm i'r enaid. Gwthiaf fy ffordd tuag ati a chaf fy nghofleidio gan un o'i chwtsys enwog. Wrth i'w breichiau gau amdana i teimlaf beth o'r tensiwn yn gadael fy nghorff, ac am y tro cyntaf ers i'r hunllef yma ddechrau dwi'n ymollwng. Daw'r dagrau yn rhwydd nawr. Does dim rhaid bod yn ddewr mwyach.

"Sadia fach," meddai eto, "ro'n i'n poeni cymaint amdanat ti..."

Mae hi'n crio, a dwi'n crio gyda hi. Dwi'n blasu'r dagrau hallt. Dwi ddim yn un am grio fel arfer, ond nawr does dim pall ar y dagrau. Criaf ddagrau o ryddhad am fod Mam yma gyda mi, a dagrau o ofn am nad oes gobaith i fi ddod o hyd i Nathan.

"Ble mae Dad?" gofynnaf.

"Gyda'r dynion yn yr ystafell weddïo. Sut gyrhaeddaist ti yma?"

Adroddaf yr hanes wrthi. Y gyngerdd. Y ffrwydrad. Yr heddlu ar y bont. Y dorf. Ac yna Haamid yn ei gar yn dod i'r adwy i fy achub.

"Haamid? Beth nesa!" meddai Mam dan chwerthin. Mae'n braf cael chwerthin hyd yn oed dan yr amgylchiadau hyn. "Cael dy achub gan Haamid? *Look out*! Bydd e'n bendant yn teimlo bod ganddo hawl arnat ti nawr!"

*

Un tro, amser maith yn ôl, roedd yna fachgen bach o'r enw Haamid, ac roedd e'n grwtyn annwyl a diniwed. Roedd ein rhieni'n ffrindiau. Roedd y ddau dad-cu wedi ffoi i'r wlad hon gyda'i gilydd, i chwilio am fywyd gwell. Mae lluniau ohonon ni yn fabanod yn chwarae yn y bath gyda'n gilydd, ar goll yn y swigod. Mewn llun arall safwn ysgwydd wrth ysgwydd yn ein gwisgoedd ysgol newydd sbon. Ond wrth i fi ymddiddori mwy a mwy yn fy ngwersi, ac ymgolli mewn llyfrau a hen ffilmiau Tarantino, collodd e ddiddordeb yn yr ysgol a cholli ei ffordd. Oherwydd lliw ei groen aeth yn ysglyfaeth i densiynau ein cyfnod. Un noson roedd fy ffôn ar dân. Un neges ar ôl y llall. Haamid wedi ei arestio. Cyllell. Cyffuriau. Doeddwn i ddim yn deall sut roedden ni wedi crwydro mor bell oddi wrth ein gilydd.

Ond roedd Dad yn deall.

O'i gadair, yn bwyllog, fel Yoda, esboniodd Dad y sefyllfa drist i mi.

"Ti'n gweld, Sadia, dydy pobl ddim eisiau rhoi cyfle i rai fel ni. Maen nhw'n ein peintio ni i gyd â'r un brwsh. Does dim digon o athrawon yma, dim digon o ddoctoriaid, dydyn nhw ddim yn casglu'r sbwriel ar ein strydoedd! Maen nhw'n cwyno ein bod ni'n dwyn eu swyddi, ond odyn ni? Pfft! Beth sy'n llanw'r gwacter? Cyffuriau. Dyna lle mae'r arian. A gwaetha'r modd, mae 'na ddihirod pwerus sy'n defnyddio pobl fel Haamid i gario'r stwff mewn a mas o Drelluest. Mae e'n cael ei dalu'n dda am gymryd risg a dyma ei ffordd e o ennill hunan-werth. Mae'r system wedi ei fradychu, felly dyw e ddim yn poeni am dwyllo'r awdurdodau."

Ydy, mae Haamid yn cario cyllell. Ond fe hefyd yw'r bachgen bach yn y bath, a fe yw'r un a achubodd fy mywyd. Dwi'n cofio disgrifiad Dad ohona i unwaith eto. Rhosyn yn tyfu trwy'r concrit. Gallwn i hefyd fod wedi gwywo wrth ymyl y ffordd.

*

"Pam bod pawb wedi ymgynnull fan hyn?" gofynnaf.

"Dy fodryb glywodd sïon yn dilyn y ffrwydriad. Mae'r we i lawr ac mae bron yn amhosibl ffonio neb, ond mae'r winwydden wedi cario negeseuon o stryd i stryd, ac o dŷ i dŷ. Ni'n dal i fod yn gymdeithas glòs fan hyn. Penderfynodd yr henuriaid mai mewn undeb y mae nerth ac y dylen ni aros gyda'n gilydd. Y mosg oedd y lle naturiol i ni ymgasglu. Mae pawb yn ofni y cawn ni ein beio a'n targedu oherwydd y bomio. Ti'n gwybod fel mae pethau y dyddiau hyn. Byddwn ni'n saff fan hyn. Mae'r henuriaid wedi ffonio'r heddlu a maen nhw wedi addo dod i'n gwarchod ni. Maen nhw ar y ffordd, siŵr o fod..."

Teimlaf ias yn mynd i lawr fy nghefn eto. Yr heddlu? Cofiaf am rybuddion Anti Halia flynyddoedd yn ôl. Cofiaf am beth ddigwyddodd ar y bont, ac am bolisi amlwg yr heddlu yn y fan honno, dim ond ychydig oriau yn ôl. Dwi'n gwybod yn iawn pam nad yw'r heddlu wedi cyrraedd eto: dydyn nhw ddim yn dod o gwbl.

"Mam..." ond mae'r olwg ar ei hwyneb yn

awgrymu ei bod hi wedi darllen fy meddwl unwaith eto.

Tynnir ein sylw yn sydyn gan sŵn drws y mosg yn agor ac yn cau'n glep. Saif bachgen ifanc yno, a'i gefn at y drws, ei anadl yn ei ddwrn a diferion o waed yn rhedeg o'i dalcen i lawr ei foch dde.

"M... m... ma... ma nhw'n... ma nhw'n dod."

Rhedaf at y drws a'i agor. Clywaf Mam yn sgrechian arna i ac mae breichiau cryfion yn fy nhynnu'n ôl, ond dwi wedi cael cip i lawr y stryd. Mae torf yno, fel haid o gŵn yn chwyrnu, a'u traed yn taro'r tarmac fel byddin gyntefig yn awchu am waed. Maen nhw'n dod amdanon ni.

11

Nathan

GWELAF Y DORF O flaen y mosg. Yn syllu. Gwgu. Poeri. Meddyliaf am fleiddiaid gwyllt yn cylchu oen swci. Yn blasu'r cnawd yn barod. Yn dychmygu'r llanast gwaedlyd. Yn ysu amdano. Ac mae'n fy nharo. Mae casineb yn brifo'r rhai sy'n casáu hefyd. Efallai'n fwy. Yn eu troi'n fwystfilod. Ac fel bleiddiaid yn stelcian, mae'r dorf yn ddistaw. Yn aros am arweiniad neu orchymyn efallai. Yn ailfeddwl? Gobeithio. Ansicrwydd nawr eu bod nhw wedi cyrraedd y mosg a bod disgwyl troi'r geiriau'n weithred. Haws dweud na gwneud. Hawdd teipio beth liciwch chi arlein. Boed ddrwg neu dda.

Dwi'n ceisio dod o hyd i wynebau fy rhieni yn y dorf, ond yn methu. Ond yng nghanol tyndra'r sefyllfa clywaf adar yn canu. Eu harmonïau yn nodi bod diwrnod arall wedi cyrraedd. Hoffwn hedfan i ffwrdd. Ffoi i'm nyth a chuddio ar gangen uchel. Ond aderyn heb adenydd yw dyn. Felly rhaid aros. Dyna wnaeth mam Sama yn *For Sama*, ffilm welson ni yn ystod yr wythnos.

Mewn un olygfa yn y ffilm mae'r fam yn ceisio rhoi'r plentyn yn y gwely. Yn y cefndir, nid hwiangerddi rydych chi'n eu clywed, ond bomiau'n disgyn ac adeiladau'n syrthio. Dwi'n edrych tua'r mosg ac yn dychmygu bod Sadia a'i theulu a'i ffrindiau wedi mynd yno er mwyn cael eu cysuro, er mwyn swatio'n dawel, fel baban mewn crud. Ond nid sisial y Salat sydd i'w glywed, ond rhegi a chyfarth yr haid tu allan sydd yn prysur ddarganfod eu lleisiau ac yn troi'n fwy eofn. Efallai caiff hanes ein tref ei newid am byth oherwydd geiriau'r bobl hyn.

"Ein gwlad! Ein tref!"

Yr un hen diwn gron.

Dwi ddim yn siŵr a ydw i am i Sadia fod yno, yn y mosg. O leiaf os ydy hi yno, mae hi gyda'i rhieni, siŵr o fod. Os nad ydy hi yno, gallai hi fod yn cuddio i lawr rhyw lôn gefn dywyll, yn unig ac yn ofnus. Ond os oes unrhyw un yn gallu edrych ar ôl ei hunan, Sadia yw honno.

Mae'n fy nharo i, yng nghanol tawelwch abswrd y bore bach, bod Trelluest bellach yn dref ysbrydion. Ddaw dim un plentyn allan i chwarae heddiw, bydd y siopau i gyd ar gau a'u ffenestri wedi eu gorchuddio ag estyll. Rhedais heibio un siop gydag arwydd "Perchennog Gwyn" wedi'i beintio ar y drws. Ymgais bathetig i fynnu bod y mob yn pasio heibio a gadael llonydd iddyn nhw. Ie, tref ysbrydion. Eneidiau coll a chyrff meirwon. Ond dwi ddim am roi'r gorau i'r lle yma achos y strydoedd hyn yw fy nghartref i. Dwi ddim ar roi'r gorau i Sadia chwaith achos hi yw fy nyfodol i. Mae'n rhaid i fi wneud rhywbeth, er 'mod i'n crynu yn fy esgidiau. Ond dydy bod yn ddewr ddim yn golygu nad oes ofn arnoch chi. Bod yn ddewr yw mynnu gwneud gwahaniaeth er gwaethaf unrhyw ofnau. Felly camaf ymlaen tuag at y dorf gan godi fy nghwcwll dros fy mhen. Dwi ddim eisiau cael fy adnabod, ond mae'n rhaid i fi wybod beth sy'n digwydd a beth yw cynlluniau'r dorf.

Wrth i mi wthio i ganol y bobl, clywaf leisiau yn trafod yn frysiog. Dwi'n adnabod cefn Dad yn syth oherwydd fod ei gorun yn foel a'r ffaith fod ganddo fy mag i ar ei gefn. Dyna Dad i chi. Cymryd beth mae e'i eisiau heb ofyn caniatâd, heb ddangos parch at neb. A syrpréis syrpréis, mae ganddo gan o Stella yn ei law.

"Ma gen i'r stwff yn y bag. Be amdani? Rhaid i rywun gymryd y cam cynta!" meddai.

"Ond beth am y bobl tu fewn?"

Llais Mam! Mae'n dod o'r dorf ac yn syllu ar Dad. Mae ei llygaid yn fyw ac mae'n sefyll yn dal. A dweud y gwir mae Dad yn sefyll yn ei chysgod!

"Beth amdanyn nhw?" ateba Dad yn sarrug. Mae ei leferydd yn aneglur a diog. Effaith y can yn ei law. "Roedden nhw'n ddigon hapus i ymosod ar ein pobl ni yn y gyngerdd. Dyw hi ond yn deg i ni dalu'r pwyth yn ôl. Llygad am lygad. Dant am ddant!"

"Ond sdim sicrwydd pwy oedd yn gyfrifol am y bom. Os oedd bom o gwbl. Allwn ni ddim beio grŵp cyfan o bobl am weithred un unigolyn. Falle taw nytar oedd e. Neu mai damwain oedd hi."

Mam eto – yn siarad sens.

O'r diwedd. Y broblem yw ein bod ni wedi gadael i bobl ddweud pethau hurt, ysgrifennu pethau rhagfarnllyd, postio pethau hiliol, creu fideos llawn casineb, ac mae hyn yn dod yn normal ac yn dderbyniol nes bod pobl yn meddwl ei bod hi'n hollol iawn i feddwl fel hyn. Beth yw'r pwynt cael llais os ydych chi'n dewis aros yn dawel a gadael i'r eithafwyr feddiannu pob llwyfan ar y cyfryngau ac ar y we ac mewn bywyd pob dydd?

Da iawn, Mam! Mae fy nghalon i'n llenwi â balchder. Go, Mam!

"Paid â 'ngwestiynu i! Bradwr wyt ti! Fel y mab 'na sy gyda ni. *Race traitor*! Oeddet ti'n gwybod ei fod e'n mynd 'da un ohonyn *nhw*?!"

"Oeddwn," ateba Mam. "A dwi mor browd ohono. Oherwydd mae'n dangos ei fod e'n ganwaith mwy o ddyn nag y byddi di byth."

Mae Mam yn gwenu wrth i Dad syllu arni'n fud. Ei dro ef yw hi nawr i fod yn dawel a thro Mam i reoli, i ddweud wrth Dad beth yw beth, a gwneud iddo deimlo fel dim byd mwy na mwydyn. Mewn embaras, mae Dad yn cynddeiriogi ac yn troi ei gefn arni ac yn camu'n simsan ymlaen i gyfeiriad drws y mosg. Mae'n estyn am botel o'r bag. Gallaf arogli'r petrol yn syth, fel petai cwmwl o betrol ac alcohol yn drwm uwch ein pennau.

Saif Dad o flaen y dorf a'i freichiau ar led, fel parodi o Iesu Grist ar y Groes, y molotof mewn un llaw, a'r leitar yn y llall. Un fflic ddramatig ac mae fflam fechan yn ymddangos yng ngolau gwan y bore bach. Sigla Dad yn ôl ac ymlaen yn ei unfan. Dawnsia'r fflam yn nes ac yn nes at y botel ac yn sydyn mae'n chwyddo ac yn gafael yn y molotof, gan oleuo wynebau'r dorf a wyneb Dad. Mae ei lygaid ar gau. Dwi wedi gweld yr olwg honno o'r blaen. Golwg feddw. Golwg ar goll. Golwg anobeithiol.

Cama Dad yn ôl er mwyn hyrddio'r molotof at ddrws y mosg ond mae ei droed yn llithro. Cwympa i'r llawr fel dwi wedi'i weld yn cwympo ar y soffa fil o weithiau. Ond y tro hwn nid hen garthen wlanog sy'n ei orchuddio ond llen o dân.

Dwi'n sefyll mewn syndod wrth i sgrechian fy nhad lenwi'r nos. Edrychaf o'm hamgylch a gweld Mam yn syllu ar yr uffern o'i blaen.

Yna mae drysau'r mosg yn agor ac mae Sadia â'i hijab piws yn rhedeg aton ni.

12

Sadia

MAE POB UN YN dal ei anadl. Yn ei hofn, mae Mam yn gorchuddio'i cheg â'i llaw a gwelaf adlewyrchiad y fflamau yn ei llygaid llaith. Mae'r distawrwydd yng nghyntedd y mosg yn fyddarol. Rydym wedi ein rhewi yn yr unfan wrth weld tafodau o dân yn llyfu o dan y drws. Yna clywaf y sgrechfeydd.

Yn ddeuddeg mlwydd oed ces i *y sgwrs* gyda Mam a Dad. Na, nid *y sgwrs* am sut mae babis yn cael eu creu, ond *y sgwrs* am beth i'w wneud petawn i ar fy mhen fy hun gyda dau ddyn pen moel gyda thatŵs swastica. Rhedeg. Rhedeg fel y gwynt, heb edrych yn ôl. Dyna oedd cyngor Mam a Dad. Ond alla i ddim dianc rhag hyn. Mae yna ddyn newydd daflu molotof at y mosg er mwyn ein llosgi'n fyw, ond alla i ddim rhedeg bant. Y dewis arall yw gwneud rhywbeth.

Mae'n rhaid i fi wneud rhywbeth. Rhaid i fi wynebu'r perygl.

Felly yn lle rhedeg bant, gwnaf rywbeth dewr iawn, sef rhedeg i mewn i'r ystafell weddïo. Dwi ddim wedi bod yn yr ystafell hon erioed o'r blaen. Mae'r dynion yn syllu arna i ag arswyd, ond fe'u hanwybyddaf nhw. Cydiaf mewn dau fat gweddi, rhuthro'n ôl i'r cyntedd ac yna mas i'r bore newydd trwy ddrysau'r mosg. Mae Mam yn gweiddi ar fy ôl.

Mae arogl cnawd yn llosgi yn ffiaidd. Mae'r dorf wedi gwasgaru'n gyflym a'r dewrder a ddaeth o fod yn rhan o'r mob dan gysgod tywyllwch y nos wedi diflannu yng ngoleuni llachar haul y bore. Mae'r llwfrgwn wedi'i heglu hi ac mae eraill yn ceisio edrych i ffwrdd, yn methu dirnad bod hyn wedi digwydd a'u bod nhw wedi bod yn rhan ohono. Mae rhai yn cyfogi mewn sioc o weld y gyflafan o'u cwmpas ac eraill wedi eu rhewi yn yr unfan, fel cerfluniau marmor. Mae corff y dyn daflodd y molotof yn ddifywyd, ond mae'n ceisio llusgo'i hun ar hyd y llawr.

Gorwedda ar ei fol ac mae ei gefn ar

dân. Taflaf un o'r matiau gweddi drosto ac mae'r fflamau'n cael eu mygu. Syrthiaf ar fy mhengliniau a throi'r dyn drosodd. Mae rhai pethau welwch chi na allwch chi byth eu dad-weld. Maen nhw'n cael eu serio ar eich cof.

Eich rhieni yn cusanu.

Gwylan yn bwyta perfedd llygoden fawr.

Yr hen glip yna o Theresa May yn dawnsio. Beth ddigwyddodd iddi hi?

Twll du lle dylai stumog fod a gwaed du a llysnafedd yn llifo ohono.

Weithiau rydych chi'n ceisio gwneud eich gorau glas, ond dydy'ch gorau ddim yn ddigon da ac mae'r gwaethaf yn digwydd beth bynnag. Ond dydy hynny ddim yn esgus dros beidio gwneud yr hyn sy'n iawn. Dyna'r rheol aur. Anwesaf ben y dyn yn fy mreichiau a gorchuddio'r twll yn ei fol gyda'r mat gweddi arall. Mae ei gorff mewn gwewyr. Sylla i fyw fy llygaid. Dwi'n adnabod y llygaid yma.

"Sadia..."

Codaf fy mhen a gweld Nathan yn sefyll yno. Mae'n crynu'n ddilywodraeth ac mae'n wyn fel y galchen. Mae ein llygaid yn cyfarfod a sylweddolaf yn syth pam fod llygaid y dyn yma yn fy mreichiau mor gyfarwydd. Plyga Nathan ac anwesu pen y dyn yn ei freichiau. Mwytha ei wyneb.

"Dad... Dad..." sibryda Nathan drosodd a throsodd, a chlywaf seirenau ambiwlans yn agosáu ar hyd strydoedd gwag Trelluest.

13

Nathan

MAE'R TRI OHONON NI gyda'n gilydd eto. Ond nid trip teulu hapus yw hwn. Sgriala'r ambiwlans i lawr heolydd Trelluest a chlywaf y seirenau'n canu. Yng nghefn yr ambiwlans mae Dad yn gorwedd, yn griddfan, ddim eto'n gelain. Coda'i frest yn araf. Mae'n anadlu. Jyst. Mae ei geg yn gwneud sŵn garglo hyll a thasga gwaed ohono, fel sŵp tomato yn ffrwtian ar dop y ffwrn.

Dwi'n cofio Mam, Dad a finnau'n mynd am drip yn y car. Syniad Mam. Roedd rhyw fis wedi mynd heibio ers i Dad golli ei swydd yn y ffactri a setlo i batrwm o yfed, pwnio a chwyno. Meddyliai Mam y byddai'n syniad da mynd am awyr iach, felly dringo Pen y Fan oedd y nod.

Roedd Mam wedi paratoi dwy fflasg – un yn llawn te cryf, lliw potiau blodau terracota, ac un yn llawn sŵp tomato. Dyna ble'r oeddwn i a Mam yn cynhesu ein dwylo a'n boliau yn y car pan glywson ni glec enfawr yn adleisio rhwng y mynyddoedd. Safai Dad ychydig fetrau o'r car â gwn yn ei law. Rhuthrodd Mam ato.

"Be ti'n neud?!"

"Bydd dawel, fenyw. Dim ond tegan yw e. Er, mae'n ddigon pwerus i ladd wiwer."

Es innau allan o'r car hefyd. Roedd Dad yn gweiddi a Mam yn codi ei dwylo o'i blaen mewn ystum amddiffynnol. Yn gorwedd yn llonydd wrth droed coeden gyfagos roedd wiwer. Roedd ei ffwr yn llwyd, ond edrychai fel petai'n gwisgo gwasgod goch. Gwaed. Teimlais bresenoldeb Dad tu ôl i mi.

"Paid poeni, Nathan. Wiwer lwyd yw hon. Ddim hyd yn oed yn perthyn yma. Wedi dod yma o dramor. *Vermin*."

Ac ar hynny anelodd Dad tua'r llwybr a dechrau cerdded tua chopa Pen y Fan. Dilynodd Mam a fi o bell a'n pennau tua'r llawr, mewn tawelwch.

*

"Nathan..."

Cymerodd hi beth amser i mi sylweddoli mai Dad oedd yn siarad. Roedd wedi diosg ei fwgwd ocsigen ac yn syllu arna i. Roeddwn i wedi anghofio bod llygaid Dad yn dywyll. Fel fy rhai i.

"Nathan... sori..."

Mae'n penderfynu ymddiheuro? Nawr? Mae'n codi ei law. Edrycha fel cwyr cannwyll wedi toddi'n stribedi hyll. Syllaf ar y llaw. Dyma'r llaw sydd wedi bod yn taro Mam. Dyma'r bysedd sydd wedi bod yn bodio casineb. Yn y llaw yma roedd molotof yn wenfflam.

"Nathan..."

Mae ei lais yn wan. Mae e'n wan. Wedi bod ers blynyddoedd.

"... sori... dim rheswm... crac o'n i..."

Dim esgus.

Tynna Dad anadl ddofn, ei frest yn codi fel ton cyn llonyddu. Mae rhai eiliadau'n mynd heibio ond mae Dad yn aros yn llonydd. Edrychaf ar Mam ac estyn fy llaw tuag ati. Mae'n ei chymryd. Mae mor fregus. Gallaf weld ei gwythiennau yn las o dan ei chroen. Mae'n gwasgu fy llaw yn dynn. Pan mae'n gadael fynd gwelaf amlinelliad coch ei bysedd ar fy llaw. Rhedaf fy mys ar hyd yr amlinelliad a theimlo gwefr yn mynd trwydda i. Mae Mam yn ôl. Mae'n rhydd.

14

Sadia

ROEDD HI'N DECHRAU NOSI, a digwyddiadau oriau mân y bore'n hunllef. Ond wrth gwrs, digwyddodd popeth. Y ffrwydrad. Y daith adre. Y molotof. Y sgrechian a'r cnawd yn llosgi. Y gwaed o dan fy ewinedd.

Anfonais neges at Nathan, ond chefais i ddim ateb. O wylio'r newyddion gyda'm rhieni mae'n debyg bod rhyw fath o normalrwydd wedi'i sefydlu eto yn y ddinas. Os ydych chi'n cyfri bod dau heddwas â gwn yr un yn sefyll tu allan i ddrws eich tŷ yn normal.

Roedd Mam wedi ceisio sefydlu normalrwydd yn y tŷ hefyd. Hwfro, coginio, ffonio Anti Halia bob hanner awr. Ond sut mae parhau gyda'ch diwrnod wedi i chi fod o fewn eiliadau i gael eich llosgi'n fyw? Ceisiais gysgu, ond bob tro roeddwn yn cau fy llygaid byddwn yn arogli mwg a phetrol.

A chnawd tad Nathan yn llosgi. Fwyteais i ddim trwy'r dydd. Dim ond sipian dŵr. Roedd blas coffi, hyd yn oed, yn troi arna i.

Doedd dim esboniad eto am y ffrwydrad yn ystod y gyngerdd. Cyfeiriodd y newyddion at sïon mai ymosodiad terfysgol ydoedd, ond doedd yr heddlu ddim wedi cadarnhau'r adroddiadau hynny. Cyhoeddodd y dyn tywydd ei bod hi am fod yn noson fwyn, ac wrth iddo ddymuno prynhawn da i bawb, clywais gnoc ar y drws. Cododd Dad ar ei draed.

"Un o'r heddlu moyn paned, siŵr o fod!"

Pan ddychwelodd i'r ystafell fyw roedd golwg syn ar ei wyneb. Llamodd fy nghalon a chefais innau sioc hefyd wrth weld Nathan yn ei ddilyn. Anghofiais am eiliad fod Mam a Dad yn yr ystafell. Dim ond fi a Nathan oedd yn bodoli. Neidiais ar fy nhraed a thaflu fy hun i'w freichiau. Ni ddywedon ni yr un gair. Dim ond gafael yn dynn, dynn yn ein gilydd. Parodd pesychiad Dad i ni ddychwelyd i dir y byw.

"Nid dim ond Nathan sydd yma. Mae'n werth i ti fynd i weld pwy sydd tu allan."

"Beth? Pwy?" atebais.

"Jyst cer i weld!"

Arweiniodd Nathan fi gerfydd fy llaw. Agorodd y drws. Roedd arlliw aur ar bopeth, oedd yn gwneud i Drelluest edrych yn arallfydol. Fel creadigaeth newydd. Ac mi roedd. Roedd hi'n ymddangos bod pawb sy'n byw yn Nhrelluest yn sefyll o flaen fy nhŷ, rhai yn dal cannwyll, eraill â goleuadau eu ffonau symudol ymlaen ac yn eu dal uwch eu pennau. Llenwai'r dorf y stryd. Doedd neb yn yngan gair. Trelluest yn byw mewn heddwch, o'r diwedd. Rhoddodd Nathan ei fraich o amgylch fy ysgwyddau gan blannu cusan ar gorun fy mhen.

"EIN GWLAD, EIN TREF!"

Daeth y llais o ganol y dorf. Rhewodd fy ngwaed.

"EICH GWLAD, EICH TREF!"

Yr un llais.

"EIN GWLAD, EIN TREF! EICH GWLAD, EICH TREF!"

Ymunodd rhagor yn y gweiddi nes bod ein lleisiau yn cyrraedd y nefoedd. Er gwaethaf popeth, mae bywyd yn cynnig prydferthwch.

15

Nathan

CODAF AR FY NHRAED a cherddded tuag at y ddarllenfa. Mae fy esgidiau sgleiniog du yn taro'n erbyn y llawr carreg ac yn atseinio dros yr eglwys. Mae fy nheyrnged ar ddarn o bapur A4 a hwnnw'n gorffwys yn daclus ar y Beibl sy'n cael ei gynnal gan adenydd yr eryr pren. Mae fy llaw yn crynu a 'ngwddf yn sych.

Cofiaf ymweld â'r eglwys hon pan oeddwn i ym Mlwyddyn 5. Arweiniodd y ficer ni ar daith dywys o gwmpas yr adeilad, gan dynnu sylw at y fedyddfan, y pulpud, y ddarllenfa, yr allor. Yna gofynnodd i ni edrych lan ar do'r eglwys. Yn fwâu ysblennydd roedd y to yn debyg iawn i siâp cwch mawr, wyneb i waered.

"I'n hatgoffa o Arch Noa," dywedodd y ficer.

Aeth ymlaen i adrodd yr hanes am ddau o

bob anifail, un gwryw ac un fenyw, yn cael eu hachub o'r dilyw wrth gyd-fyw mewn un cwch. Dwi'n cofio rhyfeddu at hynny a synnu bod anifeiliaid gwahanol wedi gallu byw ochr yn ochr â'i gilydd, tra bod pobl fel ni yn cael trafferth goddef ein gilydd os ydyn ni'n cefnogi timau pêl-droed gwahanol. Allwn ni ailadeiladu Trelluest fel Arch Noa newydd? Fydd ein cymuned yn ddigon cryf i wneud hynny? Efallai. Gobeithio.

Mae'r ficer yn eistedd y tu ôl i mi a gallaf arogli gwynt glân ei *aftershave*. Mae pawb yn edrych arna i, ond dim ond un pâr o lygaid sy'n cyfri. Llygaid brown melfedaidd Sadia. Tynnaf anadl ddofn a dwi'n gwybod y bydd popeth yn iawn. Mae'r eglwys yn llawn dop. Mae Trelluest i gyd yma. Pawb o dan yr un to. Ysgwydd wrth ysgwydd.

Defod ar gyfer y byw yw angladd, nid ar gyfer y meirw…

Rhyfedd meddwl mai Dad yn y pen draw sydd wedi dod â ni i gyd at ein gilydd. Doedd e ddim yn berson cymdeithasol iawn…

Ychydig yn gwenu. Rhai yn chwerthin. Sadia'n nodio'n gefnogol.

Gwnaeth Dad lawer o gamgymeriadau. Rydyn

ni i gyd wedi gwneud llawer o gamgymeriadau ond mae'n rhaid i ni gredu ein bod ni'n fwy na'r penderfyniadau gwael rydyn ni'n eu gwneud.

Fe allwn i sôn am fy atgofion am ein trip i Ynys y Barri, a sôn yn dyner am y gemau pêl-droed, ond dwi ddim. Mae pawb yma'n gwybod sut ddyn oedd Dad. Fi a Mam yn fwy na neb. Dyna pam dwi am sôn amdanon ni sydd yn dal ar dir y byw. Gwelaf Mam yn estyn ei llaw i gyfeiriad Sadia. Mae Sadia'n cydio yn ei llaw ac yn gwenu arni. Gwena Mam yn ôl arni a dwi'n gwybod na fydd dim yn ein stopio rhag ailadeiladu Trelluest. Plygaf y papur yn daclus a'i osod ym mhoced fy siaced ddu. Mae dau hanner fy mywyd wedi uno, yn dal dwylo ac yn gwenu. Heb gymorth y papur A4 dywedaf beth sydd ar fy nghalon.

Pobl fel ni yw Trelluest...

16

Nathan a Sadia

RHIF 47. DYNA RIF y tŷ. Drws gwyrdd. Bin mawr gwyrdd yn orlawn. Digon tebyg i fy un i. Mae'r llenni wedi'u tynnu'n ôl a gwelaf Nathan a'i fam wrthi'n brysur yn tacluso'r ystafell fyw. Dwi'n rhoi cnoc ar y drws ac mae Nathan yn ei agor. Croesawa fi â choflaid a dwi'n estyn am gefn ei wddf ac yn tynnu'i wefusau tuag at fy rhai i.

Ydy, mae Rhif 47 wedi newid, a Threlluest i gyd, ers y digwyddiad y tu allan i'r mosg. Mae pobl fel ni yn gallu cusanu'n gyhoeddus heb ofn nawr. Iawn, cawn edrychiad amheus gan rai, ond mae hynny'n well na bygythiadau geiriol neu gorfforol.

"Iawn?" gofynna Nathan.

Wrth gwrs fy mod i.

"Ti'n ocê?" gofynnaf ac edrych i fyw ei lygaid tywyll.

"Ydw. Mae'n edrych yn well yn barod. Ond mae digon o waith i neud."

Dilynaf Nathan dros y trothwy. Gorwedda rhes hir o fagiau du ar hyd y wal i lawr y coridor. Teimlaf wynt ffres yn rhedeg trwy'r tŷ i gyd. Mae'n rhaid bod pob ffenest wedi'i hagor. Af i mewn i'r ystafell fyw a meddwl am eiliad fod Nathan a'i fam newydd symud i mewn i'w tŷ. Mae'n orlawn o focsys cardfwrdd, mae'r soffa newydd dan orchudd plastig ac mae mam Nathan wrthi'n rowlio paent gwyn i fyny ac i lawr y wal.

"Mam!" gwaedda Nathan.

Tynna'i fam y clustffonau oddi ar ei phen a chlywaf Tiffany O yn canu'n ddistaw.

"Haia Sadia!" Gallech feddwl bod Nathan nid yn unig wedi cael soffa newydd, ond mam newydd hefyd. Mae Bethan yn sefyll yn dal, ei gwallt yn bownsio bob ochr i'w hwyneb, a'i llygaid yn fyw.

"Helô, Mrs Davies," atebaf yn gwrtais.

"Mrs Davies?! Paid bod yn wirion. Bethan, plis. Beth, hyd yn oed!"

Mae Bethan yn camu dros fagiau du a bocsys cardfwrdd er mwyn rhoi cwtsh nerthol i mi. Sylwaf ar Nathan yn symud yn anghyfforddus o un droed i'r llall.

"Ti'n handi 'da *roller*? Meddwl oedden ni fod angen dechre o'r dechre. Cael gwared ar y gwe pry cop, llenwi'r cracs a newid yr aer."

Wedi oriau o rolio, cario, pacio a sgwrsio, mae'r tri ohonon ni'n barod am fwyd. Does dim byd yn yr oergell, felly dyma archebu pitsa i'w rannu. Rhaid aros wrth gwrs, felly rydyn ni'n mynd i eistedd ar y soffa yn yr ystafell fyw yn wynebu'r lle tân lle mae un llun mewn ffrâm arian sydd heb gael ei roi o'r neilltu na'i daflu. O'r ffrâm gwena Nathan a'i fam tuag aton ni, a llond platiaid mawr o grempogau o'u blaenau.

"Beth? Ti 'rioed wedi bwyta roti?!"

Mae Nathan yn chwerthin yn uchel a Beth yn edrych arna i mewn penbleth.

"Beth yw'r jôc?!"

Hefyd yn y gyfres:

Stori Sydyn
£1
yn unig
Bryn y Crogwr
Bethan Gwanas
y Lolfa

£1
yn unig

Y Stelciwr

Manon
Steffan Ros

Stori Sydyn

£1
yn unig

WIL ac AERON

Heulwen Ann Davies

y Lolfa

Llongyfarchiadau ar gwblhau un o lyfrau Stori Sydyn 2020

Mae prosiect Stori Sydyn, sy'n cynnwys llyfrau bachog a byr, wedi'i gynllunio er mwyn denu darllenwyr yn ôl i'r arfer o ddarllen, a gwneud hynny er mwynhad. Gobeithiwn, felly, eich bod wedi mwynhau'r llyfr hwn.

Hoffi rhannu?

Gall eich barn chi wneud y prosiect hwn yn well. Nawr eich bod wedi darllen un o lyfrau'r gyfres Stori Sydyn, ewch i www.darllencymru.org.uk i roi eich sylwadau neu defnyddiwch @storisydyn2020 ar Twitter.

Pam dewis y llyfr hwn?
Beth oeddech chi'n ei hoffi am y llyfr?
Beth yw eich barn am y gyfres Stori Sydyn?
Pa Stori Sydyn hoffech chi ei gweld yn y dyfodol?

Beth nesaf?

Nawr eich bod wedi gorffen un llyfr
Stori Sydyn – beth am ddarllen un arall?
Edrychwch am deitl arall cyfres Stori Sydyn 2020.